하루 10분 서술형/문장제 학습지

수학 독해

B1

네 자리 수

초2~초3

씨투엠

수학독해 : 수학을 스스로 읽고 해결하다

객관식이나 간단한 단답형 문제는 자신 있는데 긴 문장이나 풀이 과정을 쓰라는 문제는 어려워하는 아이들이 있어요. 빠르고 정확하게 연산하고 교과 응용문제까지도 곧잘 풀어내지만, 문제 속 상황이 약간만 복잡해지면 문제를 풀려고도 하지 않는 아이들도 많아요. 이러한 아이들에게 부족한 것은 연산 능력이나 문제 해결력보다는 독해력과 표현력입니다. 특히 수학적 텍스트를 이해하고 표현하는 능력, 즉 수학 독해력이지요.

요즘 아이들의 독해력이 약해진 가장 큰 이유는 과거에 비해 이야기를 만나는 방식이 다양해졌기 때문이에요. 예전에는 대부분 말이나 글로써만 이야기를 접했어요. 텍스트 위주로 여러 가지 사건을 간접 체험하고, 머릿 속으로 상황을 그려내는 훈련이 자연스럽게 이루어졌지요. 반면 요즘 아이들은 글보다도 TV나 스마트폰 등 영상매체에 훨씬 빨리, 자주 노출되기에 글을 통해 상상을 할 필요가 점점 없어지게 되었습니다.

그렇다고 아이들에게 어렸을 때부터 영화나 애니메이션을 못 보게 하고 책만 읽게 하는 것은 바람직하지 않고, 가능하지도 않아요. 시각 매체는 그 자체로 많은 장점이 있기 때문에 지금의 아이들은 예전 세대에 비해 이미지에 대한 이해력과 적용력이 매우 뛰어나답니다. 문제는 아직까지 모든 학습과 평가 방식이 여전히 텍스트 위주이기 때문에 지금도 아이들에게 독해력이 중요하다는 점이에요. 그래서 저희는 영상 매체에는 익숙하지만 말이나 글에는 약한 아이들을 위한 새로운 수학 독해력 향상 프로그램인 씨투엠 수학독해를 기획하게 되었어요.

씨투엠 수학독해는 기존 문장제/서술형 교재들보다 더욱 쉽고 간단한 학습법을 보여주려 해요. 문제에 있는 문장과 표현 하나하나마다 따로 접근하여 아이들이 어려워하는 포인트를 찾고, 각 포인트마다 직관적인 활동을 통해 독해력과 표현력을 차근차근 끌어올리려고 합니다. 또한 문제 이해와 풀이 서술 과정을 단계별로 세세하게 나누어 문장제, 서술형 문제를 부담 없이 체계적으로 연습할 수 있어요. 새로운 문장제 학습법인 씨투엠 수학독해가 문장제 문제에 특히 어려움을 겪고 있거나 앞으로 서술형 문제를 좀 더 잘 대비하고 싶은 아이들에게 큰 도움이 될 것이라 자신합니다.

씨투엠

수학독해의 구성과 특징

- 매일 부담없이 2쪽씩, 하루 10분 문장제 학습
- 매주 5일간 단계별 활동, 6일차는 중요 문장제 확인학습
- 5회분의 진단평가로 테스트 및 복습

주차별 구성

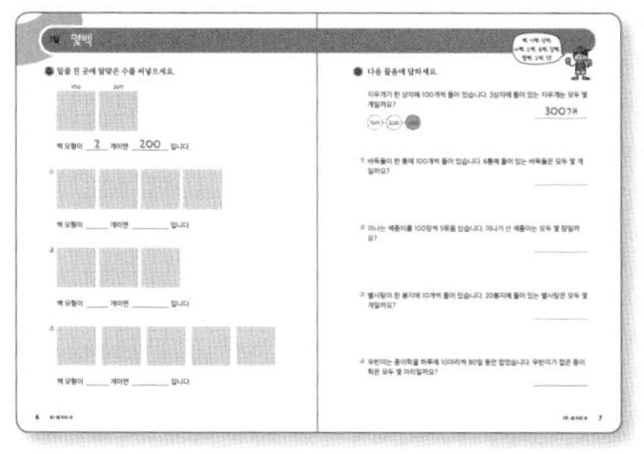

일일학습

꼬마 수학자들의 간단한 팁과 함께 매일 새롭게 만나는 단계별 문장제 활동

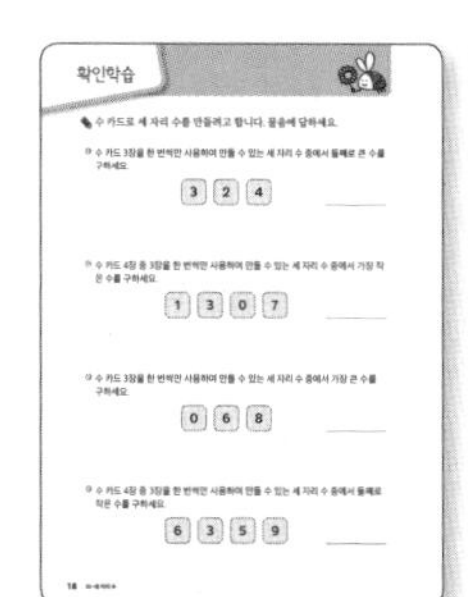

확인학습

중요 문장제 활동을 다시 한번 확인하며 주차 학습 마무리

주차	1일	2일	3일	4일	5일	확인학습
1주차	6쪽 ~ 7쪽	8쪽 ~ 9쪽	10쪽 ~ 11쪽	12쪽 ~ 13쪽	14쪽 ~ 15쪽	16쪽 ~ 18쪽
2주차	20쪽 ~ 21쪽	22쪽 ~ 23쪽	24쪽 ~ 25쪽	26쪽 ~ 27쪽	28쪽 ~ 29쪽	30쪽 ~ 32쪽
3주차	34쪽 ~ 35쪽	36쪽 ~ 37쪽	38쪽 ~ 39쪽	40쪽 ~ 41쪽	42쪽 ~ 43쪽	44쪽 ~ 46쪽
4주차	48쪽 ~ 49쪽	50쪽 ~ 51쪽	52쪽 ~ 53쪽	54쪽 ~ 55쪽	56쪽 ~ 57쪽	58쪽 ~ 60쪽

진단평가 구성

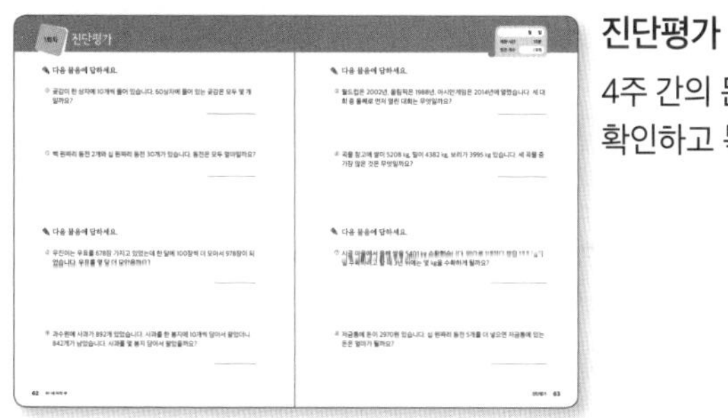

진단평가

4주 간의 문장제 학습에서 부족한 부분을 확인하고 복습하기 위한 자가 진단 테스트

	1회	2회	3회	4회	5회
진단평가	62쪽 ~ 63쪽	64쪽 ~ 65쪽	66쪽 ~ 67쪽	68쪽 ~ 69쪽	70쪽 ~ 71쪽

이 책의 차례

1주차

세 자리 수

1일 몇백

❀ 밑줄 친 곳에 알맞은 수를 써넣으세요.

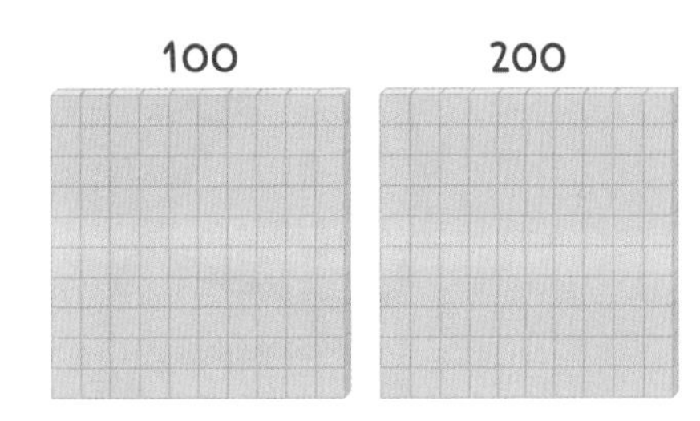

백 모형이 ___2___ 개이면 ___200___ 입니다.

①

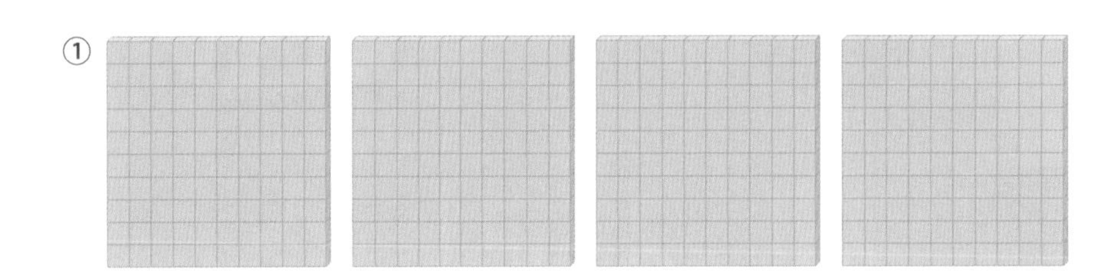

백 모형이 ______ 개이면 ________ 입니다.

②

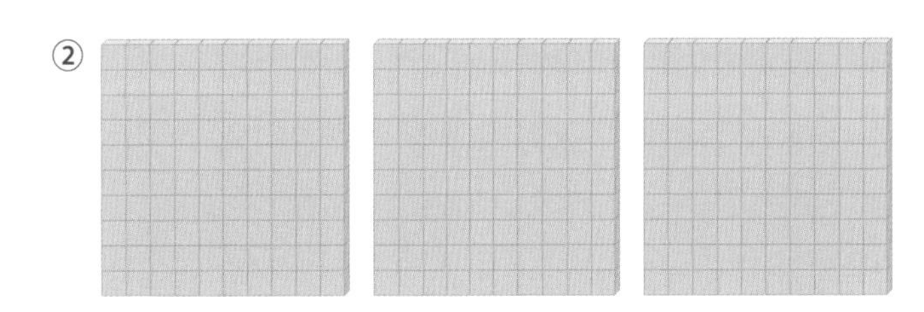

백 모형이 ______ 개이면 ________ 입니다.

③

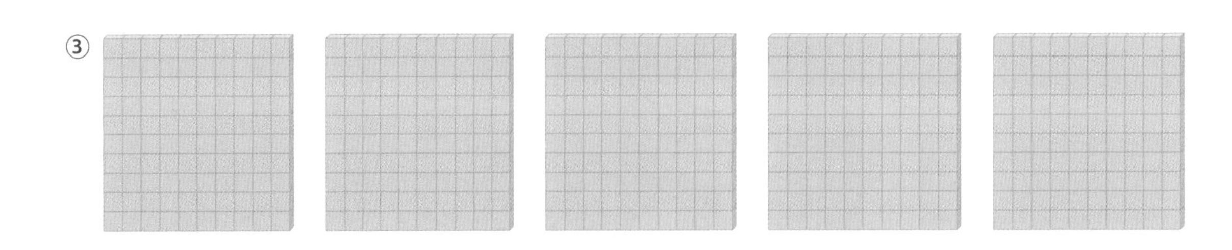

백 모형이 ______ 개이면 ________ 입니다.

다음 물음에 답하세요.

지우개가 한 상자에 100개씩 들어 있습니다. 3상자에 들어 있는 지우개는 모두 몇 개일까요?

300개

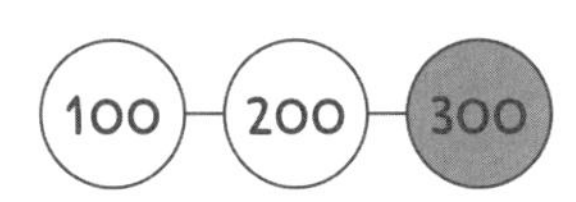

① 바둑돌이 한 통에 100개씩 들어 있습니다. 6통에 들어 있는 바둑돌은 모두 몇 개일까요?

② 미나는 색종이를 100장씩 5묶음 샀습니다. 미나가 산 색종이는 모두 몇 장일까요?

③ 별사탕이 한 봉지에 10개씩 들어 있습니다. 20봉지에 들어 있는 별사탕은 모두 몇 개일까요?

④ 우빈이는 종이학을 하루에 10마리씩 80일 동안 접었습니다. 우빈이가 접은 종이학은 모두 몇 마리일까요?

세 자리 수

밑줄 친 곳에 알맞은 수를 써넣으세요.

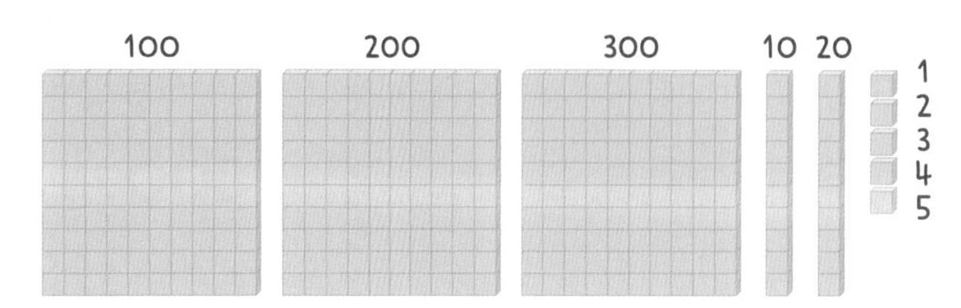

백이 3 개, 십이 2 개, 일이 5 개이면 325 입니다.

① 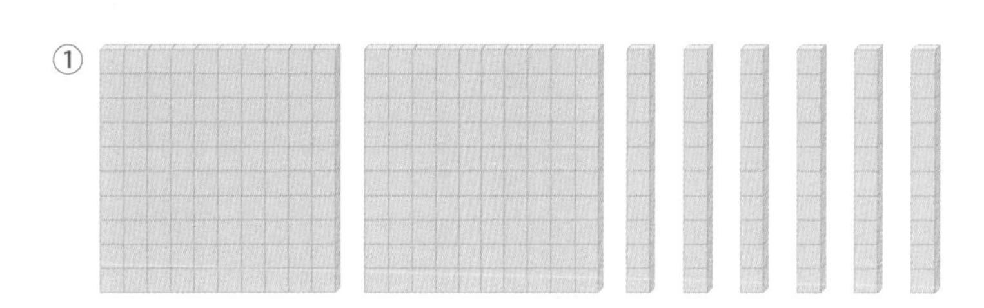

백이 ______ 개, 십이 ______ 개, 일이 ______ 개이면 ________ 입니다.

② 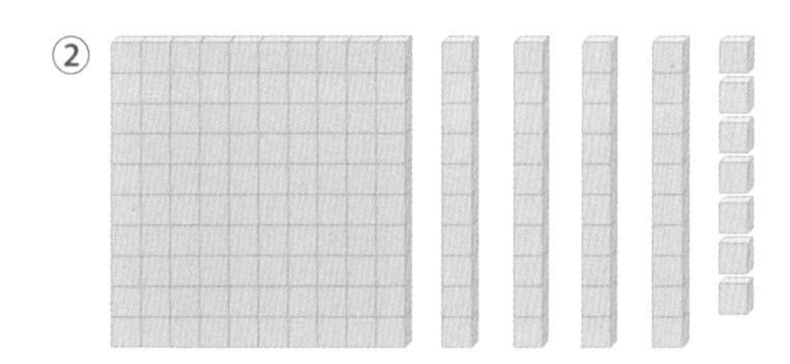

백이 ______ 개, 십이 ______ 개, 일이 ______ 개이면 ________ 입니다.

③ 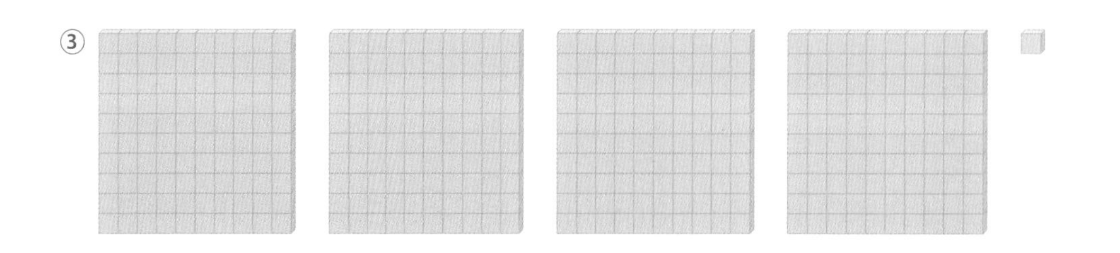

백이 ______ 개, 십이 ______ 개, 일이 ______ 개이면 ________ 입니다.

십이나 일이 하나도 없으면 자리에 숫자 0을 써야 해.

다음 물음에 답하세요.

백 원짜리 동전이 4개, 십 원짜리 동전이 3개 있습니다. 동전은 모두 얼마일까요?

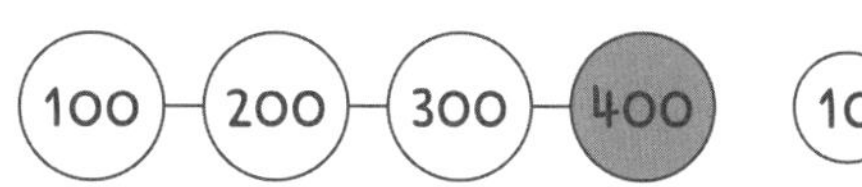

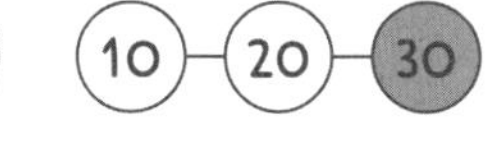

① 색종이가 100장씩 3묶음, 10장씩 9묶음, 낱장으로 5장 있습니다. 색종이는 모두 몇 장일까요?

② 방울토마토가 100개씩 2상자, 낱개로 6개 있습니다. 방울토마토는 모두 몇 개일까요?

③ 클립이 100개씩 7상자, 10개씩 5묶음, 낱개로 8개 있습니다. 클립은 모두 몇 개일까요?

④ 주아는 스티커를 100장씩 6묶음, 낱장으로 25장 샀습니다. 주아가 산 스티커는 모두 몇 장일까요?

3일 수의 크기 비교(1)

세 자리 수의 크기를 비교해 보세요.

266 < 305	266은 <u>305</u> 보다 <u>작습니다</u>.

백의 자리를 비교하면 2와 3이므로 266이 305보다 더 작아요.

①

525 ◯ 520	525는 ______ 보다 ______.

②

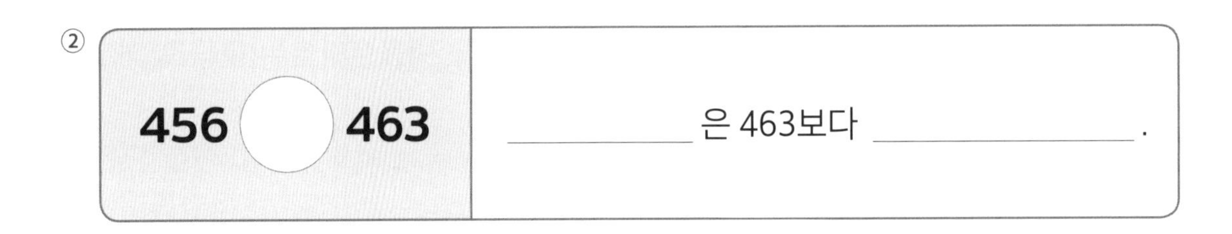

③

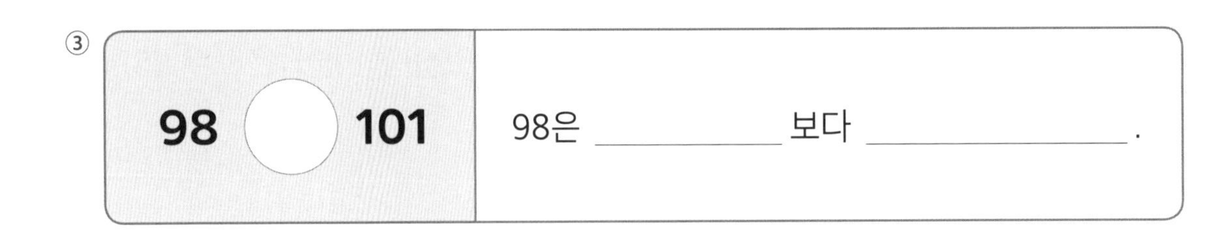

④

788 ◯ 779	______ 은 779보다 ______.

다음 물음에 답하세요.

토마토가 150개, 딸기가 143개 있습니다. 토마토와 딸기 중 더 많은 것은 무엇일까요?

150 (>) 143

토마토

① 꽃밭에 장미가 249송이, 튤립이 312송이 있습니다. 장미와 튤립 중 더 많은 것은 무엇일까요?

② 주말 농장에서 호준이는 감자를 309개, 호열이는 311개 캤습니다. 감자를 더 적게 캔 사람은 누구일까요?

③ 빨강 색종이가 595장, 분홍 색종이가 597장 있습니다. 더 많은 색종이는 무슨 색일까요?

④ 예지는 줄넘기를 122번, 민하는 85번 넘었습니다. 줄넘기를 더 적게 넘은 사람은 누구일까요?

4일 수의 크기 비교(2)

세 수의 크기를 비교해 보세요.

780	802	775

가장 큰 수부터 차례로 쓰면 802, 780, 775

세 수 중 가장 큰 수는 802 이고, 가장 작은 수는 775 입니다.

①

566	537	616

세 수 중 가장 큰 수는 ______ 이고, 가장 작은 수는 ______ 입니다.

②

100	121	75

세 수 중 가장 큰 수는 ______ 이고, 가장 작은 수는 ______ 입니다.

③

339	343	340

세 수 중 가장 큰 수는 ______ 이고, 가장 작은 수는 ______ 입니다.

다음 물음에 답하세요.

자루에 땅콩이 430개, 호두가 282개, 밤이 366개 있습니다. 가장 많은 것은 무엇일까요?

땅콩

430 > 366 > 282

땅콩 > 밤 > 호두

① 저금통에 오백 원짜리 동전이 135개, 백 원짜리 동전이 216개, 십 원짜리 동전이 167개 들어 있습니다. 개수가 가장 적은 동전은 얼마짜리일까요?

____

② 인태는 종이학을 677장 접었고, 기연이는 669장, 마음이는 675장 접었습니다. 종이학을 둘째로 많이 접은 사람은 누구일까요?

____

③ 채소 가게에 당근이 289개, 양파가 308개, 감자가 303개 있습니다. 가장 많은 채소는 무엇일까요?

____

④ 방학 동안 희재는 학습지를 223장, 연우는 218장, 지태는 235장 풀었습니다. 학습지를 가장 적게 푼 사람은 누구일까요?

____

5일 세 자리 수 만들기

수 카드로 만들 수 있는 세 자리 수를 작은 수부터 순서대로 쓰세요.

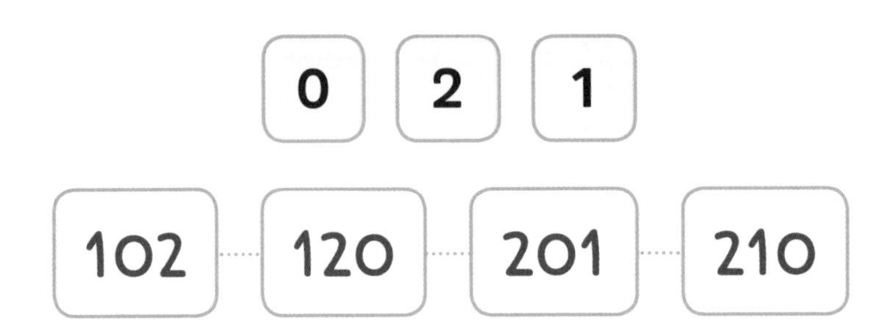

2>1>0이므로 가장 큰 세 자리 수는 210

①

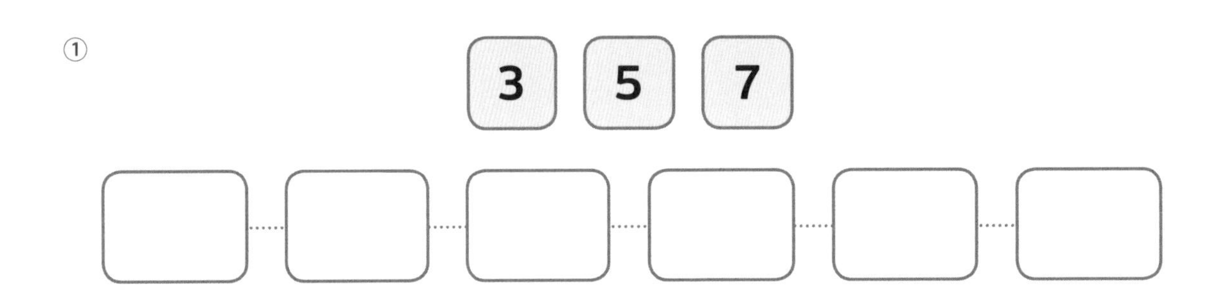

②

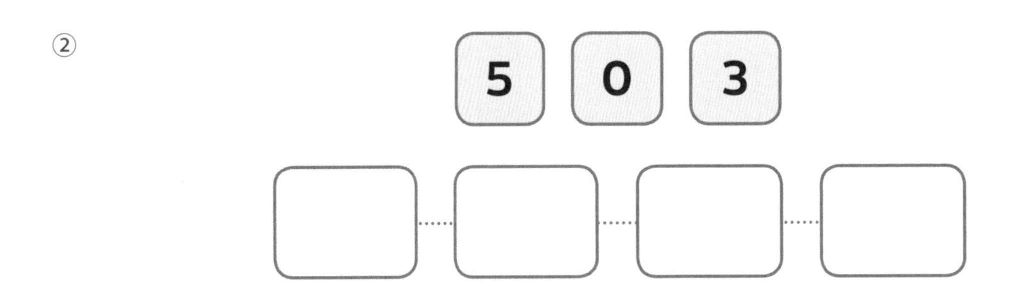

③

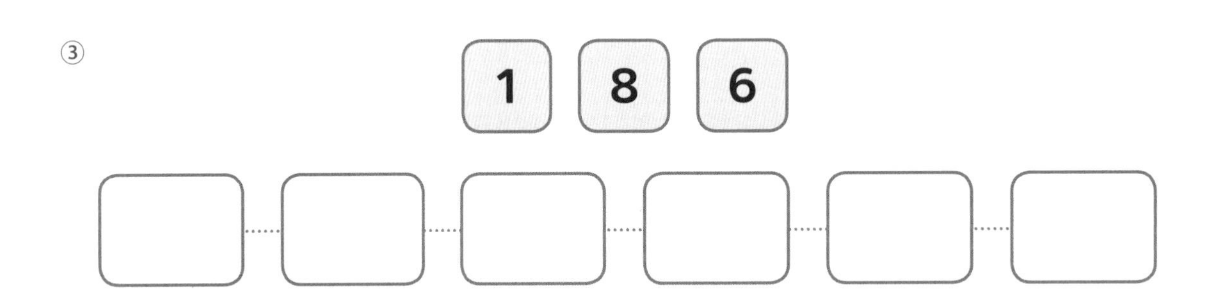

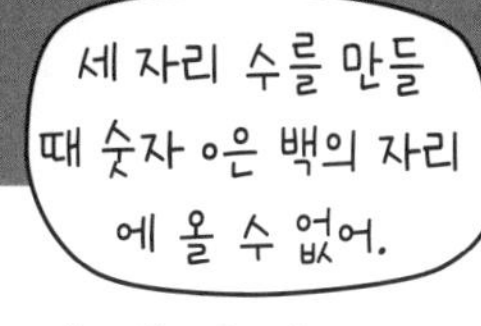

❀ 수 카드로 세 자리 수를 만들려고 합니다. 물음에 답하세요.

수 카드 3장을 한 번씩만 사용하여 만들 수 있는 세 자리 수 중에서 가장 큰 수를 구하세요.

421 > 412 > 241 > 214 > 142 > 124

① 수 카드 3장을 한 번씩만 사용하여 만들 수 있는 세 자리 수 중에서 둘째로 작은 수를 구하세요.

② 수 카드 4장 중 3장을 한 번씩만 사용하여 만들 수 있는 세 자리 수 중에서 가장 작은 수를 구하세요.

③ 수 카드 4장 중 3장을 한 번씩만 사용하여 만들 수 있는 세 자리 수 중에서 둘째로 큰 수를 구하세요.

확인학습

다음 물음에 답하세요.

① 단추가 한 상자에 100개 들어 있습니다. 4상자에 들어 있는 단추는 모두 몇 개일까요?

② 백 원짜리 동전 6개와 십 원짜리 동전 30개가 있습니다. 동전은 모두 얼마일까요?

③ 샤프심이 한 통에 100개씩 2개, 낱개로 12개 있습니다. 샤프심은 모두 몇 개일까요?

④ 사과가 한 봉지에 10개씩 55봉지, 낱개로 7개 있습니다. 사과는 모두 몇 개일까요?

⑤ 현수는 우표를 100장씩 7묶음, 10장씩 2묶음, 낱장으로 5장 모았습니다. 현수가 모은 우표는 모두 몇 장일까요?

다음 물음에 답하세요.

⑥ 도서관에 동화책이 439권, 만화책이 375권 있습니다. 동화책과 만화책 중 더 적은 것은 무엇일까요?

⑦ 성우는 칭찬 스티커를 248장, 지후는 252장 모았습니다. 칭찬 스티커를 더 많이 모은 사람은 누구일까요?

다음 물음에 답하세요.

⑧ 연아의 키는 126 cm, 하얀이의 키는 129 cm, 지예의 키는 131 cm입니다. 키가 가장 큰 사람은 누구일까요?

⑨ 과일 가게에 사과가 356개, 복숭아가 364개, 참외가 349개 있습니다. 둘째로 많은 과일은 무엇일까요?

확인학습

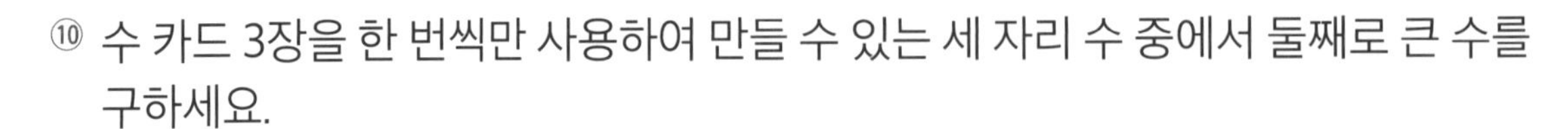

수 카드로 세 자리 수를 만들려고 합니다. 물음에 답하세요.

⑩ 수 카드 3장을 한 번씩만 사용하여 만들 수 있는 세 자리 수 중에서 둘째로 큰 수를 구하세요.

⑪ 수 카드 4장 중 3장을 한 번씩만 사용하여 만들 수 있는 세 자리 수 중에서 가장 작은 수를 구하세요.

⑫ 수 카드 3장을 한 번씩만 사용하여 만들 수 있는 세 자리 수 중에서 가장 큰 수를 구하세요.

⑬ 수 카드 4장 중 3장을 한 번씩만 사용하여 만들 수 있는 세 자리 수 중에서 둘째로 작은 수를 구하세요.

2주차

뛰어 세기(1)

1일 세 자리 수의 자릿값

빈칸에 알맞은 수를 써넣으세요.

436 ➡

100이 4	10이 3	1이 6
400	30	6

436 = 400 + 30 +6

①

279 ➡

100이 2	10이 7	1이 9

②

308 ➡

100이 3	10이 0	1이 8

③

751 ➡

100이 7	10이 5	1이 1

밑줄 친 곳에 알맞은 수나 말을 써넣으세요.

912

9는 __백__ 의 자리 숫자이고, __900__ 을 나타냅니다.

1은 __십__ 의 자리 숫자이고, __10__ 을 나타냅니다.

2는 __일__ 의 자리 숫자이고, __2__ 를 나타냅니다.

912 = 900 + 10 +2

① **142**

1은 ______ 의 자리 숫자이고, ________ 을 나타냅니다.

4는 ______ 의 자리 숫자이고, ________ 을 나타냅니다.

② **865**

5는 ______ 의 자리 숫자이고, ________ 를 나타냅니다.

8은 ______ 의 자리 숫자이고, ________ 을 나타냅니다.

③ **567**

6은 ______ 의 자리 숫자이고, ________ 을 나타냅니다.

5는 ______ 의 자리 숫자이고, ________ 을 나타냅니다.

2일 세 자리 수 뛰어 세기

뛰어 센 규칙을 찾아 밑줄 친 곳에 알맞은 수를 써넣으세요.

①

② 275 274 273 272 271 270

_______ 부터 _______ 씩 거꾸로 뛰어 세었습니다.

③ 615 605 595 585 575 565

_______ 부터 _______ 씩 거꾸로 뛰어 세었습니다.

규칙을 찾아 빈칸에 알맞은 수를 써넣으세요.

530부터 10씩 거꾸로 뛰어 센 규칙

①

108	109	110	111		

②

③

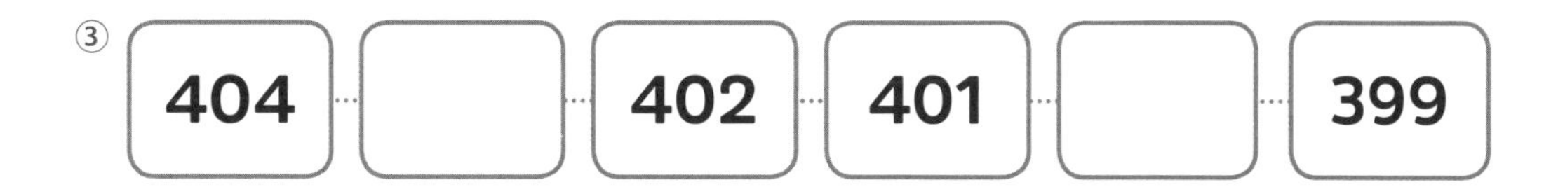

④

	937		957	967	977

3일 뛰어 센 수 구하기

뛰어 센 수를 구하세요.

135부터 100씩 4번 뛰어 센 수는 535 입니다.

①

899부터 10씩 거꾸로 3번 뛰어 센 수는 ______ 입니다.

②

612부터 1씩 5번 뛰어 센 수는 ______ 입니다.

③

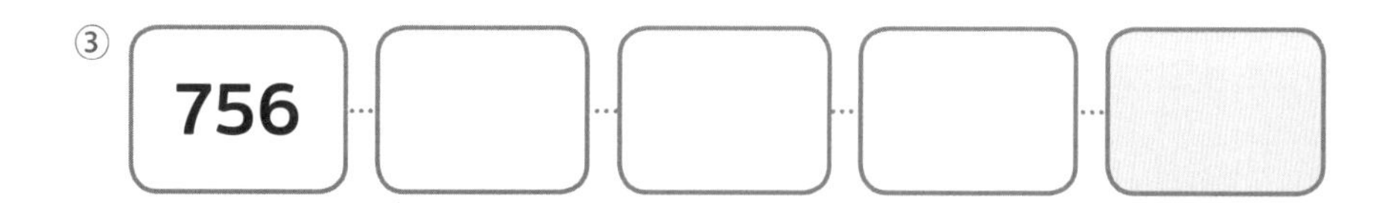

756부터 100씩 거꾸로 4번 뛰어 센 수는 ______ 입니다.

다음 물음에 답하세요.

은행나무에 은행잎이 202장 매달려 있습니다. 은행잎이 하루에 10장씩 3일 동안 떨어진다면 남는 은행잎은 몇 장일까요?

172장

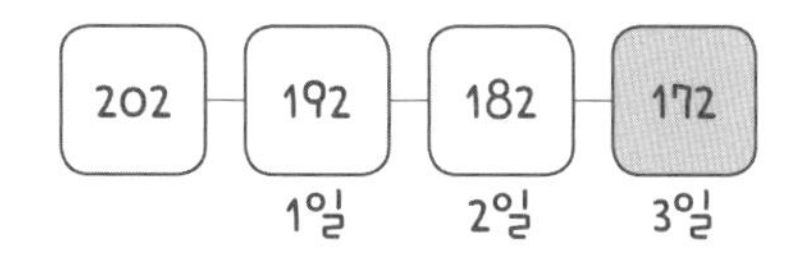

① 은지의 저금통에 돈이 180원 있습니다. 은지가 하루에 100원씩 4일 동안 저금하면 저금통에 있는 돈은 얼마가 될까요?

② 주연이가 272쪽짜리 위인전을 읽습니다. 주연이가 1분에 1쪽씩 읽으면 5분 뒤에 남은 위인전은 몇 쪽일까요?

③ 연못에 연꽃이 311송이 피어 있습니다. 연꽃이 하루에 10송이씩 4일 동안 더 핀다면 연못에 있는 연꽃은 몇 송이가 될까요?

4일 원래 수 구하기

뛰어 세기 전의 원래 수를 구하세요.

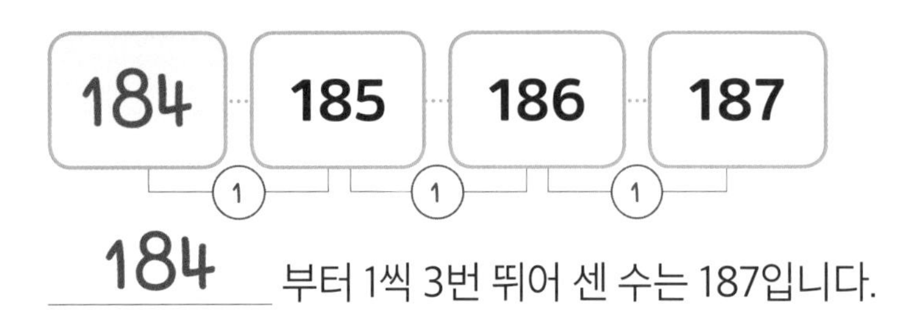

184 부터 1씩 3번 뛰어 센 수는 187입니다.

①

________ 부터 100씩 거꾸로 4번 뛰어 센 수는 435입니다.

②

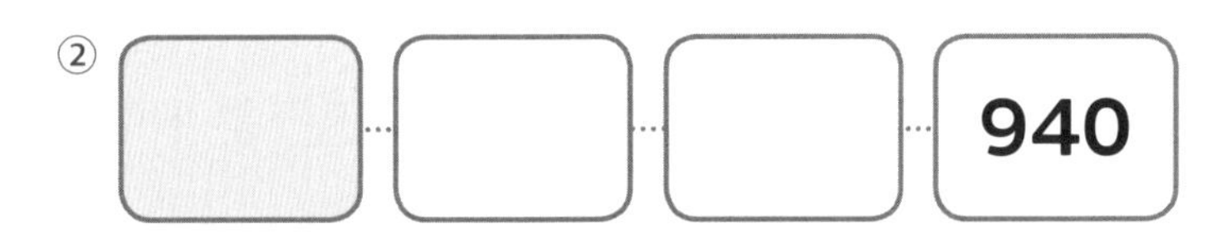

________ 부터 10씩 거꾸로 3번 뛰어 센 수는 940입니다.

③

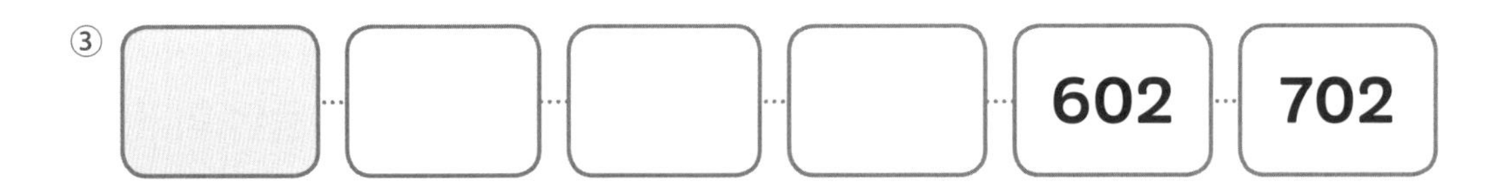

________ 부터 100씩 5번 뛰어 센 수는 702입니다.

 다음 물음에 답하세요.

감을 100개씩 2상자 더 땄더니 감이 모두 681개가 되었습니다. 원래 있던 감은 몇 개였을까요?

481개

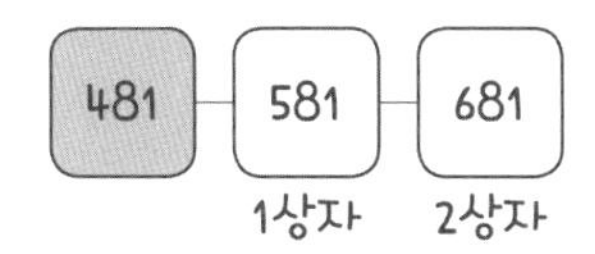

① 벚나무가 한 달에 10 cm씩 5달 동안 자라서 215 cm가 되었습니다. 원래 벚나무의 키는 몇 cm였을까요?

② 견우가 하루에 100원씩 3일 동안 쓰고 남은 돈이 650원입니다. 원래 견우가 가진 돈은 얼마였을까요?

③ 주차장에 자동차가 하루에 1대씩 4일 동안 줄어들어서 328대가 되었습니다. 원래 주차장에 있던 자동차는 몇 대였을까요?

5일 뛰어 센 횟수 구하기

몇 번 뛰어 세었는지 구하세요.

335부터 10씩 거꾸로 5 번 뛰어 센 수는 285입니다.

①

406부터 1씩 ______ 번 뛰어 센 수는 409입니다.

②

733부터 100씩 거꾸로 ______ 번 뛰어 센 수는 333입니다.

③

277부터 10씩 ______ 번 뛰어 센 수는 317입니다.

다음 물음에 답하세요.

꽃밭에 튤립이 110송이 있는데 150송이까지 늘리려고 합니다. 한 번에 10송이씩 몇 번 더 심어야 할까요?

4번

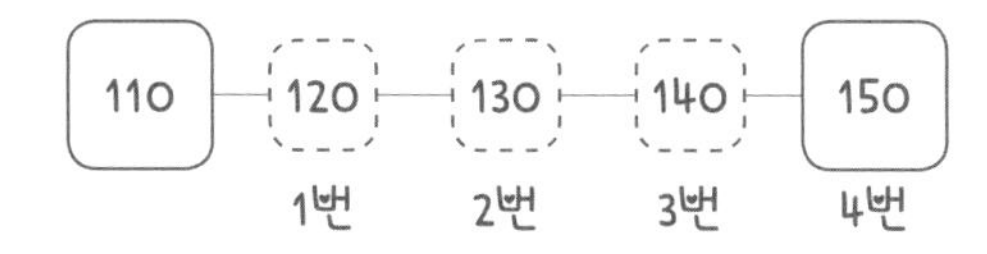

① 상자에 사과가 256개 들어 있습니다. 한 사람에게 사과를 10개씩 나누어 주고 226개 남기려면 몇 명에게 나누어 주어야 할까요?

② 소하는 480쪽짜리 소설책을 읽으려고 합니다. 일주일에 100쪽씩 읽어서 280쪽을 남기려면 소설책을 몇 주 동안 읽어야 할까요?

③ 연꽃이 하루에 1송이씩 더 핍니다. 연꽃이 375송이에서 380송이가 되는 데 며칠이 걸릴까요?

확인학습

밑줄 친 곳에 알맞은 수나 말을 써넣으세요.

① 815

8은 ______ 의 자리 숫자이고, __________ 을 나타냅니다.

5는 ______ 의 자리 숫자이고, __________ 를 나타냅니다.

② 620

2는 ______ 의 자리 숫자이고, __________ 을 나타냅니다.

6은 ______ 의 자리 숫자이고, __________ 을 나타냅니다.

뛰어 센 규칙을 찾아 밑줄 친 곳에 알맞은 수를 써넣으세요.

③ 750 … 650 … 550 … 450 … 350 … 250

__________ 부터 __________ 씩 거꾸로 뛰어 세었습니다.

④ 407 … 417 … 427 … 437 … 447 … 457

__________ 부터 __________ 씩 뛰어 세었습니다.

다음 물음에 답하세요.

⑤ 과일 가게에 복숭아가 427개 있습니다. 복숭아를 하루에 100개씩 3일 동안 팔면 남는 복숭아는 몇 개일까요?

______

⑥ 상은이는 우표를 389장 모았습니다. 상은이가 10장씩 5묶음을 더 모으면 우표는 몇 장이 될까요?

______

⑦ 미래가 저금통에 하루에 100원씩 4일 동안 저금했더니 저금통에 있는 돈이 890원이 되었습니다. 저금통에 원래 있던 돈은 얼마였을까요?

______

⑧ 재활용 처리장에 있던 플라스틱 병을 하루에 10병씩 5일 동안 줄였더니 293병이 남았습니다. 원래 있던 플라스틱 병은 몇 병이었을까요?

______

확인학습

다음 물음에 답하세요.

⑨ 경주는 하루에 100원씩 저금통에 저금을 하려고 합니다. 저금통에 있는 돈이 240원에서 540원이 되는 데 며칠이 걸릴까요?

____

⑩ 인형 가게에 곰 인형이 421개 있는데 하루에 10개씩 팔았더니 371개가 남았습니다. 곰 인형을 며칠 동안 팔았을까요?

____

⑪ 1달에 10 cm씩 자라는 나무가 있습니다. 이 나무의 키가 346 cm에서 386 cm가 되는 데 몇 달이 걸릴까요?

____

⑫ 냉장고에 방울토마토가 291개 있었습니다. 방울토마토를 한 번에 1개씩 먹었더니 288개가 남았습니다. 방울토마토를 몇 번 먹었을까요?

____

3주차

네 자리 수

1일 몇천

밑줄 친 곳에 알맞은 수를 써넣으세요.

1000이 ___4___ 개인 수는 ___4000___ 입니다.

①

1000이 ______ 개인 수는 __________ 입니다.

②

1000이 ______ 개인 수는 __________ 입니다.

③

1000이 ______ 개인 수는 __________ 입니다.

다음 물음에 답하세요.

지성이는 한 주에 1000원씩 4주 동안 저금했습니다. 지성이가 저금한 금액은 모두 얼마일까요?

4000원

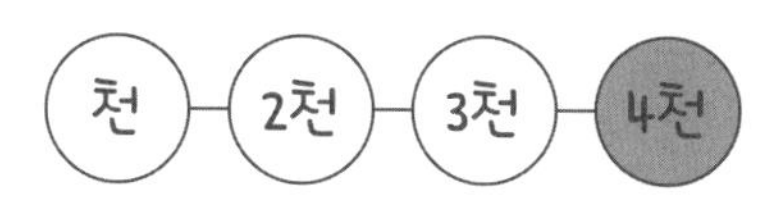

① 구슬이 한 자루에 1000개씩 들어 있습니다. 7자루에 들어 있는 구슬은 모두 몇 개일까요?

② 1 km는 1000 m와 같습니다. 집에서 학교까지의 거리 9 km는 몇 m와 같을까요?

③ 클립이 한 통에 100개씩 들어 있습니다. 20통에 들어 있는 클립은 모두 몇 개일까요?

④ 사과가 한 상자에 100개씩 들어 있습니다. 80상자에 들어 있는 사과는 모두 몇 개일까요?

네 자리 수

밑줄 친 곳에 알맞은 수를 써넣으세요.

1000이 __2__ 개, 100이 __3__ 개, 10이 __1__ 개, 1이 __0__ 개인

수는 __2310__ 입니다.

①

1000이 ______ 개, 100이 ______ 개, 10이 ______ 개, 1이 ______ 개인

수는 __________ 입니다.

②

1000이 ______ 개, 100이 ______ 개, 10이 ______ 개, 1이 ______ 개인

수는 __________ 입니다.

다음 물음에 답하세요.

지아는 연습장을 사면서 천 원짜리 2장, 백 원짜리 4개, 십 원짜리 5개를 냈습니다. 지아가 낸 돈은 모두 얼마일까요?

2450원

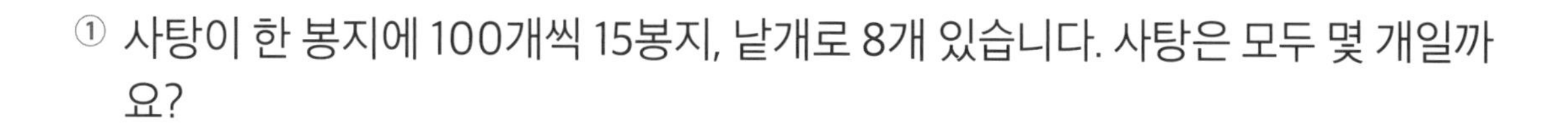

① 사탕이 한 봉지에 100개씩 15봉지, 낱개로 8개 있습니다. 사탕은 모두 몇 개일까요?

② 저금통을 열었더니 백 원짜리 33개, 십 원짜리 9개가 있었습니다. 저금통에 들어 있던 금액은 모두 얼마일까요?

③ 단추가 한 상자에 1000개씩 8상자, 낱개로 75개 있습니다. 단추는 모두 몇 개일까요?

④ 진구는 불우 이웃 돕기 성금으로 천 원짜리 5장, 십 원짜리 60개를 내었습니다. 진구가 낸 성금은 모두 얼마일까요?

3일 수의 크기 비교(1)

네 자리 수의 크기를 비교해 보세요.

	천의 자리	백의 자리	십의 자리	일의 자리
5425 →	5	4	2	5
5386 →	5	3	8	6

5425는 5386 보다 큽니다 .

천의 자리는 같고 백의 자리는 4>3이므로 5425가 더 커요.

①

	천의 자리	백의 자리	십의 자리	일의 자리
7630 →				
7628 →				

7630은 ______ 보다 ______ .

②

	천의 자리	백의 자리	십의 자리	일의 자리
1294 →				
1295 →				

1294는 ______ 보다 ______ .

다음 물음에 답하세요.

트럭에 사과 2851개, 토마토 2868개가 실려 있습니다. 사과와 토마토 중 더 많은 것은 무엇일까요?

천의 자리 2=2, 백의 자리 8=8, 십의 자리 5<6

토마토

① 미주는 색종이를 5500장, 지웅이는 4980장 가지고 있습니다. 색종이를 더 적게 가지고 있는 사람은 누구일까요?

② 헌곤이의 집 앞에는 6845번 버스와 6844번 버스가 지나갑니다. 두 버스 중 번호가 더 큰 버스는 몇 번 버스일까요?

③ 항아리에 강낭콩이 1673개, 완두콩이 1736개 들어 있습니다. 강낭콩과 완두콩 중 더 적은 것은 무엇일까요?

④ 놀이 공원에서 해민이는 3674번, 자욱이는 3647번 대기 번호표를 받았습니다. 둘 중 나중에 들어가는 사람은 누구일까요?

4일 수의 크기 비교(2)

밑줄 친 곳에 알맞은 수를 써넣으세요.

6012	6102	5963

6012 < 6102, 6102 > 5963, 6012 > 5963

큰 수부터 차례대로 수를 쓰면

6102, 6012, 5963 입니다.

①

1847	2014	1938

큰 수부터 차례대로 수를 쓰면

________, ________, ________ 입니다.

②

9875	9873	9789

작은 수부터 차례대로 수를 쓰면

________, ________, ________ 입니다.

③

4334	3443	4093

작은 수부터 차례대로 수를 쓰면

________, ________, ________ 입니다.

다음 물음에 답하세요.

양계장에서 달걀이 월요일에 2749개, 화요일에 2430개, 수요일에 3066개가 나왔습니다. 달걀이 가장 적게 나온 날은 무슨 요일일까요?

화요일

2430 < 2749 < 3066

① 장우는 3007번, 3000번, 3300번 버스 중 번호가 가장 큰 버스를 타야 합니다. 장우가 타야 하는 버스는 몇 번일까요?

② 도서관에서 책을 1월에는 4560권, 2월에는 5277권, 3월에는 4795권 빌렸습니다. 세 달 중 둘째로 책을 많이 빌린 달은 몇 월일까요?

③ 1단지 아파트에 6255명이 살고, 2단지에 6528명, 3단지에 6227명이 살고 있습니다. 세 단지 중 가장 많은 사람이 사는 곳은 어디일까요?

④ 엄마는 1984년, 외삼촌은 1976년, 이모는 1980년에 태어났습니다. 세 사람 중 가장 먼저 태어난 사람은 누구일까요?

5일 네 자리 수 만들기

① 천의 자리가 7인 네 자리 수를 큰 것부터 순서대로 써 보세요.

② 천의 자리가 3인 네 자리 수를 큰 것부터 순서대로 써 보세요.

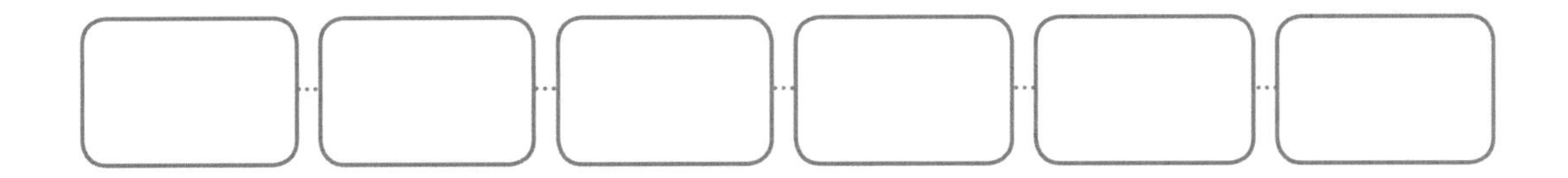

③ 천의 자리가 2인 네 자리 수를 큰 것부터 순서대로 써 보세요.

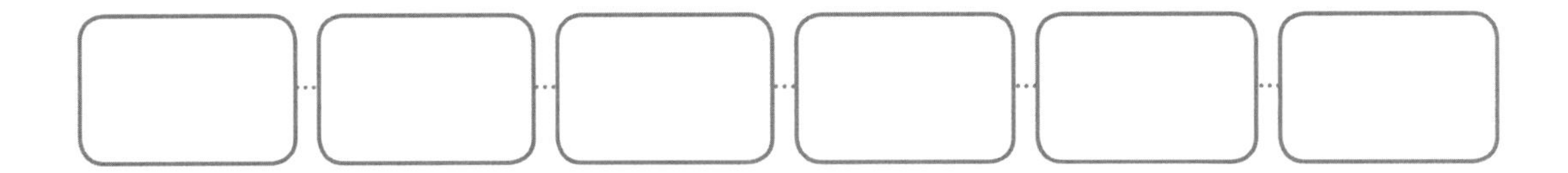

④ 천의 자리가 1인 네 자리 수를 큰 것부터 순서대로 써 보세요.

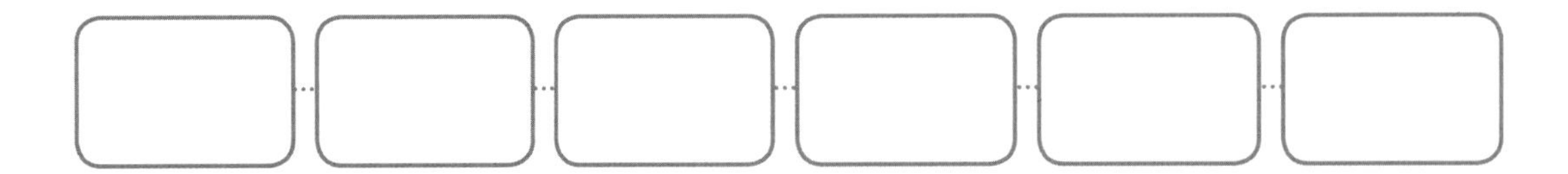

❀ 수 카드로 네 자리 수를 만들려고 합니다. 물음에 답하세요.

수 카드 4장을 한 번씩만 사용하여 만들 수 있는 네 자리 수 중에서 가장 작은 수를 구하세요.

3045

$3045 < 3054 < 3405 < 3450 < 3504 < 3540$

① 수 카드 4장을 한 번씩만 사용하여 만들 수 있는 네 자리 수 중에서 가장 큰 수를 구하세요.

______

② 수 카드 4장을 한 번씩만 사용하여 만들 수 있는 네 자리 수 중에서 둘째로 큰 수를 구하세요.

______

③ 수 카드 4장을 한 번씩만 사용하여 만들 수 있는 네 자리 수 중에서 둘째로 작은 수를 구하세요.

______

확인학습

다음 물음에 답하세요.

① 예은이는 한 통화에 1000원을 기부하는 전화를 5번 했습니다. 예은이가 기부한 금액은 모두 얼마일까요?

② 도토리묵 한 모를 만드는 데 도토리 100개가 필요합니다. 도토리묵 30모를 만드는 데 필요한 도토리는 모두 몇 개일까요?

③ 산딸기가 한 팩에 100개씩 60팩, 낱개로 5개 있습니다. 산딸기는 모두 몇 개일까요?

④ 보아는 마트에서 과자를 사면서 천 원짜리 3장, 백 원짜리 8개, 십 원짜리 4개를 냈습니다. 보아가 산 과자는 얼마일까요?

⑤ 무게 1 kg은 1000 g과 같습니다. 무게가 4 kg 330 g인 멜론의 무게는 몇 g과 같습니까?

다음 물음에 답하세요.

⑥ 전화번호 끝 자리가 아빠는 2325번, 엄마는 2258번입니다. 아빠와 엄마 중 전화 번호 끝 자리가 더 작은 사람은 누구일까요?

____

⑦ 수산 시장에 고등어가 4089마리, 갈치가 3984마리 있습니다. 고등어와 갈치 중 더 많은 것은 무엇일까요?

____

다음 물음에 답하세요.

⑧ 마을에 초등학생이 985명, 중학생이 1071명, 고등학생이 1123명 있습니다. 초등 학생, 중학생, 고등학생 중 가장 적은 것은 무엇일까요?

____

⑨ 햄버거 가게에서 수현이는 7014번, 오혁이는 7019번, 상기는 7008번 대기표를 받았습니다. 햄버거를 둘째로 늦게 먹는 사람은 누구일까요?

____

확인학습

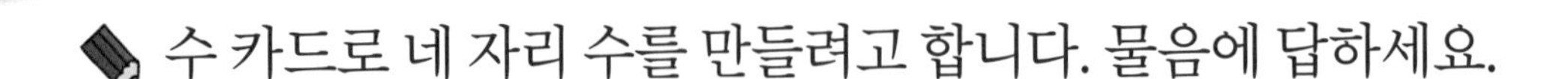

✎ 수 카드로 네 자리 수를 만들려고 합니다. 물음에 답하세요.

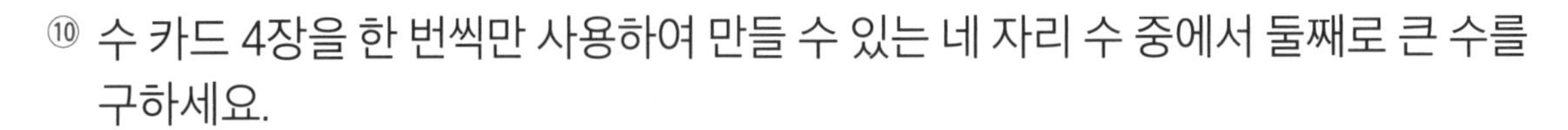

⑩ 수 카드 4장을 한 번씩만 사용하여 만들 수 있는 네 자리 수 중에서 둘째로 큰 수를 구하세요.

____

⑪ 수 카드 4장을 한 번씩만 사용하여 만들 수 있는 네 자리 수 중에서 가장 작은 수를 구하세요.

____

⑫ 수 카드 4장을 한 번씩만 사용하여 만들 수 있는 네 자리 수 중에서 둘째로 작은 수를 구하세요.

____

⑬ 수 카드 4장을 한 번씩만 사용하여 만들 수 있는 네 자리 수 중에서 셋째로 큰 수를 구하세요.

____

4주차

뛰어 세기(2)

1일 네 자리 수의 자릿값

밑줄 친 곳에 알맞은 수나 말을 써넣으세요.

4138

4는 __천__ 의 자리 숫자이고, __4000__ 을 나타냅니다.

1은 __백__ 의 자리 숫자이고, __100__ 을 나타냅니다.

3은 __십__ 의 자리 숫자이고, __30__ 을 나타냅니다.

8은 __일__ 의 자리 숫자이고, __8__ 을 나타냅니다.

4138 = 4000 + 100 + 30 +8

① **7095**

9는 ______ 의 자리 숫자이고, ________ 을 나타냅니다.

7은 ______ 의 자리 숫자이고, ________ 을 나타냅니다.

5는 ______ 의 자리 숫자이고, ________ 를 나타냅니다.

② **2683**

3은 ______ 의 자리 숫자이고, ________ 을 나타냅니다.

6은 ______ 의 자리 숫자이고, ________ 을 나타냅니다.

2는 ______ 의 자리 숫자이고, ________ 을 나타냅니다.

❀ 수 카드로 네 자리 수를 만들려고 합니다. 물음에 답하세요.

수 카드 4장을 한 번씩만 사용하여 네 자리 수를 만들려고 합니다. 백의 자리 숫자가 3인 수 중에서 가장 작은 수를 구하세요.

1326

백의 자리가 3인 네 자리 수 □3□□ 중 가장 작은 수는 1326

① 수 카드 4장을 한 번씩만 사용하여 네 자리 수를 만들려고 합니다. 천의 자리 숫자가 1인 수 중에서 가장 큰 수를 구하세요.

____

② 수 카드 4장을 한 번씩만 사용하여 네 자리 수를 만들려고 합니다. 일의 자리 숫자가 6인 수 중에서 가장 작은 수를 구하세요.

____

③ 수 카드 4장을 한 번씩만 사용하여 네 자리 수를 만들려고 합니다. 십의 자리 숫자가 0인 수 중에서 둘째로 큰 수를 구하세요.

____

2일 네 자리 수 뛰어 세기

뛰어 센 규칙을 찾아 밑줄 친 곳에 알맞은 수를 써넣으세요.

1019 부터 1000 씩 뛰어 세었습니다.

①

_______ 부터 _______ 씩 뛰어 세었습니다.

②

_______ 부터 _______ 씩 거꾸로 뛰어 세었습니다.

③

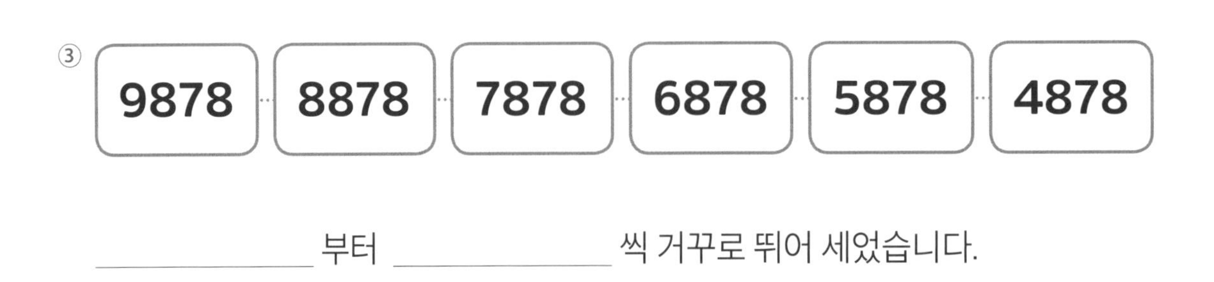

_______ 부터 _______ 씩 거꾸로 뛰어 세었습니다.

규칙을 찾아 빈칸에 알맞은 수를 써넣으세요.

4880	4780	4680	4580	4480	4380

4880부터 100씩 거꾸로 뛰어 센 규칙

①

1371	1372	1373	1374		

②

8500	7500	6500		4500	

③

6997	7007		7027		7047

④

5035		5235	5335	5435	

뛰어 센 수 구하기

뛰어 센 수를 구하세요.

8912부터 10씩 2번 뛰어 센 수는 8932 입니다.

① 

2067부터 100씩 거꾸로 3번 뛰어 센 수는 ______ 입니다.

② 

3734부터 10씩 거꾸로 5번 뛰어 센 수는 ______ 입니다.

③ 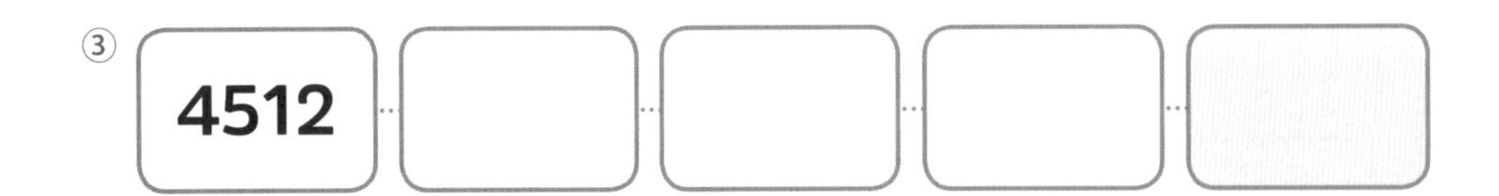

4512부터 1000씩 4번 뛰어 센 수는 ______ 입니다.

다음 물음에 답하세요.

기연이는 2510원을 가지고 있습니다. 하루에 100원씩 3일 동안 모으면 기연이가 가진 돈은 얼마가 될까요?

2810원

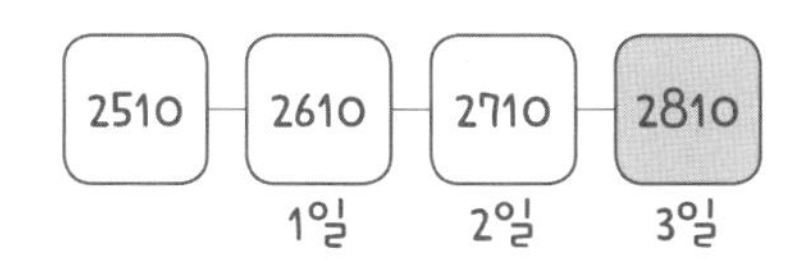

① 무지개 마을에 4327명이 살고 있습니다. 한 달에 10명씩 3달 동안 사람이 줄어들면 무지개 마을에 살고 있는 사람은 몇 명이 될까요?

② 강인이네 학교에서 빈 병 3521병을 모았습니다. 1000병씩 5번 더 모으면 모은 빈 병은 모두 몇 병이 될까요?

③ 과수원에 귤이 6219개 열려 있습니다. 귤을 100개씩 4번 따면 과수원에 남는 귤은 몇 개가 될까요?

4일 원래 수 구하기

뛰어 세기 전의 원래 수를 구하세요.

7880 부터 100씩 거꾸로 4번 뛰어 센 수는 7480입니다.

①

_______ 부터 10씩 3번 뛰어 센 수는 5618입니다.

②

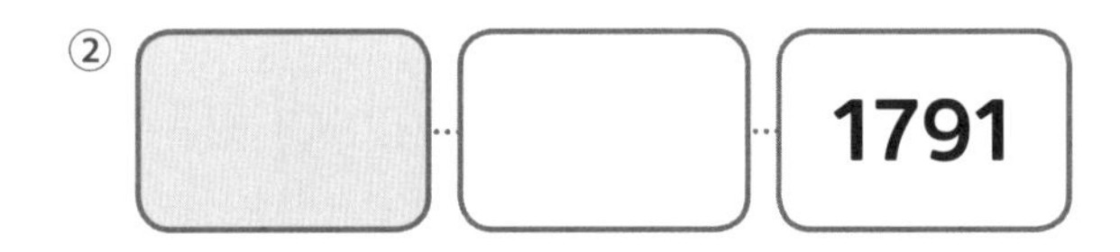

_______ 부터 1씩 2번 뛰어 센 수는 1791입니다.

③

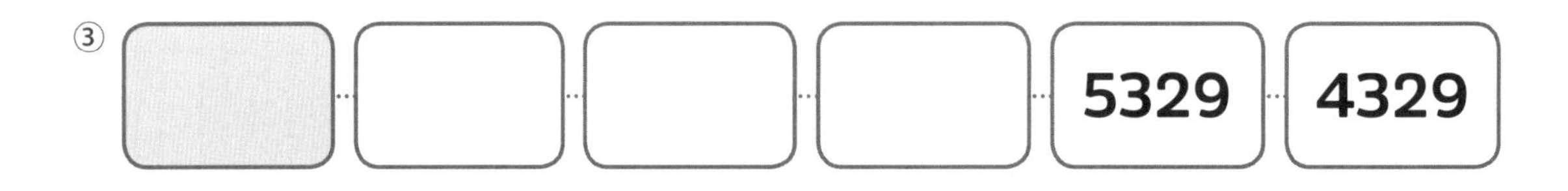

_______ 부터 1000씩 거꾸로 5번 뛰어 센 수는 4329입니다.

 다음 물음에 답하세요.

수목원에 나무를 100그루씩 3번 더 심었더니 3762그루가 되었습니다. 원래 수목원에 있던 나무는 몇 그루였을까요?

3462그루

① 찬호네 반에서 칭찬 스티커를 하루에 10장씩 4일 동안 더 모았더니 1088장이 되었습니다. 원래 모았던 칭찬 스티커는 몇 장이었을까요?

② 저금통에서 천 원짜리 2장을 꺼냈더니 저금통에 남아 있는 돈이 6300원이 되었습니다. 원래 저금통에 있던 돈은 얼마였을까요?

③ 1주일에 10 cm씩 5주 동안 자랐더니 나무의 키가 2308 cm가 되었습니다. 원래 나무의 키는 몇 cm였을까요?

뛰어 센 횟수 구하기

몇 번 뛰어 세었는지 구하세요.

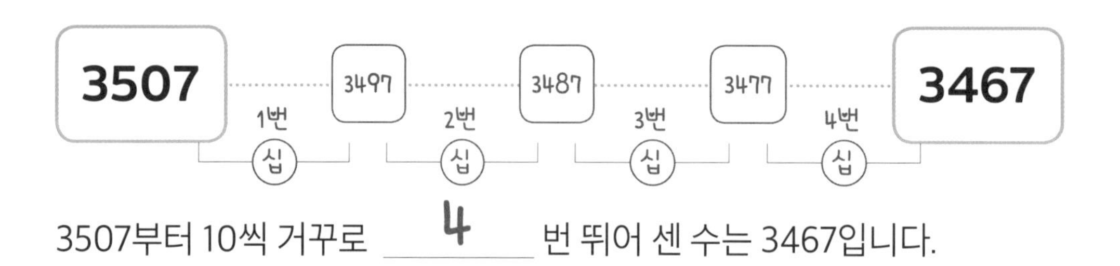

3507부터 10씩 거꾸로 4 번 뛰어 센 수는 3467입니다.

①
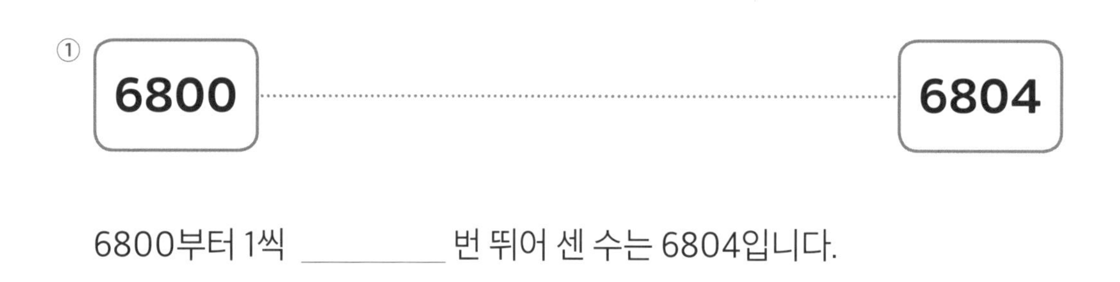

6800부터 1씩 ______ 번 뛰어 센 수는 6804입니다.

②
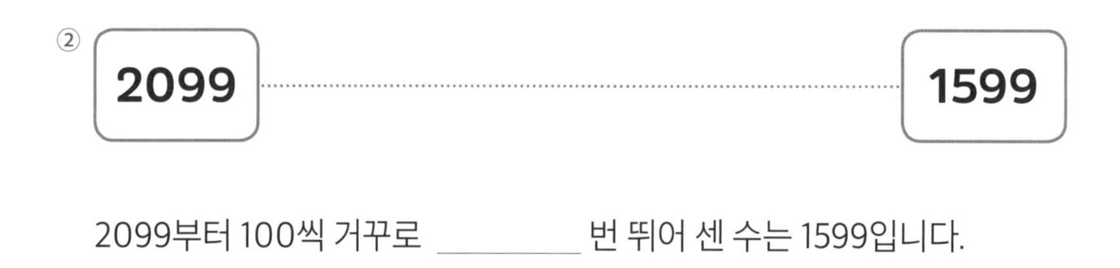

2099부터 100씩 거꾸로 ______ 번 뛰어 센 수는 1599입니다.

③

4579부터 1000씩 ______ 번 뛰어 센 수는 7579입니다.

다음 물음에 답하세요.

수산물 창고에 굴비가 1580상자 있었는데 한 번에 1000상자씩 더 넣었더니 굴비는 5580상자가 되었습니다. 창고에 굴비를 몇 번 더 넣었을까요?

4번

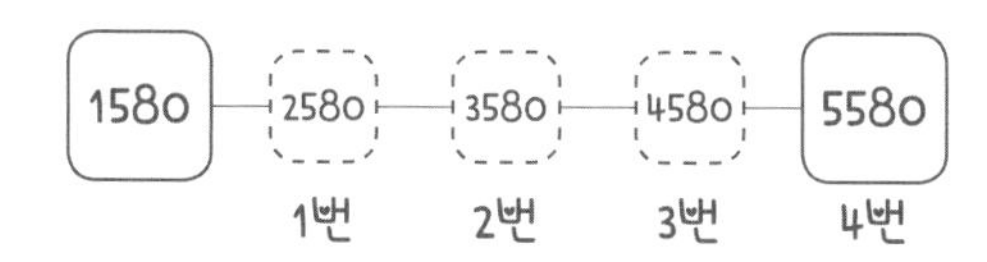

① 과수원에 사과가 7852개 열려 있습니다. 사과를 한 상자에 100개씩 따서 담으면 과수원에 사과가 7652개 남습니다. 따서 담은 사과는 몇 상자일까요?

② 태웅이는 1450원을 가지고 있는데 하루에 100원씩 모아서 1950원을 만들려고 합니다. 태웅이는 돈을 며칠 더 모아야 할까요?

③ 주차장에 있는 자동차가 하루에 10대씩 줄어듭니다. 자동차가 2425대에서 2385대가 되는 데 며칠이 걸릴까요?

확인학습

수 카드로 네 자리 수를 만들려고 합니다. 물음에 답하세요.

① 수 카드 4장을 한 번씩만 사용하여 네 자리 수를 만들려고 합니다. 천의 자리 숫자가 3인 수 중에서 가장 큰 수를 구하세요.

9	4	3	8

____

② 수 카드 4장을 한 번씩만 사용하여 네 자리 수를 만들려고 합니다. 십의 자리 숫자가 0인 수 중에서 가장 작은 수를 구하세요.

4	1	2	0

____

뛰어 센 규칙을 찾아 밑줄 친 곳에 알맞은 수를 써넣으세요.

③

9167	9067	8967	8867	8767	8667

____________ 부터 ____________ 씩 거꾸로 뛰어 세었습니다.

④

4090	4100	4110	4120	4130	4140

____________ 부터 ____________ 씩 뛰어 세었습니다.

다음 물음에 답하세요.

⑤ 창주는 7490원을 가지고 있습니다. 일주일에 1000원씩 2주 동안 쓰고 나면 남는 돈은 얼마가 될까요?

____

⑥ 호수에 개구리가 1217마리 살고 있습니다. 한 번에 100마리씩 4번 개구리를 호수에 더 풀어놓으면 호수에 있는 개구리는 몇 마리가 될까요?

____

⑦ 광수는 돈을 하루에 1000원씩 4일 동안 써서 4870원이 남았습니다. 원래 광수가 가진 돈은 얼마였을까요?

____

⑧ 집에서 학교까지 1분에 100 m씩 3분 동안 걸었더니 남은 거리는 1985 m였습니다. 집에서 학교까지의 거리는 몇 m일까요?

____

확인학습

다음 물음에 답하세요.

⑨ 미예는 7500원을 가지고 있었는데 한 번에 1000원씩 기부해서 4500원이 남았습니다. 미예는 몇 번 기부했을까요?

____

⑩ 학교 도서관에 책이 3780권 있었는데 한 번에 책을 10권씩 더 샀더니 3830권이 되었습니다. 책을 몇 번 더 샀을까요?

____

⑪ 마트에 옥수수가 4192개 있었는데 하루에 100개씩 팔았더니 3792개가 남았습니다. 옥수수를 며칠 동안 팔았을까요?

____

⑫ 저금통에 백 원짜리 몇 개를 더 넣었더니 저금통에 있는 금액이 8320원에서 8620원이 되었습니다. 저금통에 넣은 백 원짜리는 몇 개일까요?

____

진단평가

진단평가에는 앞에서 학습한 4주차의 문장제 활동이 순서대로 나옵니다. 잘못 푼 문제가 있으면 몇 주차인지 확인하여 반드시 한 번 더 복습해 봅니다.

1주차	3주차
2주차	4주차

진단평가

다음 물음에 답하세요.

① 곶감이 한 상자에 10개씩 들어 있습니다. 60상자에 들어 있는 곶감은 모두 몇 개일까요?

____

② 백 원짜리 동전 2개와 십 원짜리 동전 30개가 있습니다. 동전은 모두 얼마일까요?

____

다음 물음에 답하세요.

③ 우진이는 우표를 678장 가지고 있었는데 한 달에 100장씩 더 모아서 978장이 되었습니다. 우표를 몇 달 더 모았을까요?

____

④ 과수원에 사과가 892개 있었습니다. 사과를 한 봉지에 10개씩 담아서 팔았더니 842개가 남았습니다. 사과를 몇 봉지 담아서 팔았을까요?

____

월 일
제한 시간 10분
맞은 개수 / 8개

다음 물음에 답하세요.

⑤ 월드컵은 2002년, 올림픽은 1988년, 아시안게임은 2014년에 열렸습니다. 세 대회 중 둘째로 먼저 열린 대회는 무엇일까요?

____

⑥ 곡물 창고에 쌀이 5208 kg, 밀이 4382 kg, 보리가 3995 kg 있습니다. 세 곡물 중 가장 많은 것은 무엇일까요?

____

다음 물음에 답하세요.

⑦ 시골 마을에서 올해 쌀을 5401 kg 수확했습니다. 앞으로 1년마다 쌀을 100 kg씩 덜 수확하려고 할 때 3년 뒤에는 몇 kg을 수확하게 될까요?

____

⑧ 저금통에 돈이 2970원 있습니다. 십 원짜리 동전 5개를 더 넣으면 저금통에 있는 돈은 얼마가 될까요?

____

2회차

진단평가

✎ 다음 물음에 답하세요.

① 공책이 100권씩 3상자, 10권씩 4상자, 낱개로 1권 있습니다. 공책은 모두 몇 권일까요?

____

② 딸기가 한 상자에 100개씩 8상자, 낱개로 8개 있습니다. 딸기는 모두 몇 개일까요?

____

✎ 밑줄 친 곳에 알맞은 수나 말을 써넣으세요.

③ **732**

3은 ________ 의 자리 숫자이고, ____________ 을 나타냅니다.

7은 ________ 의 자리 숫자이고, ____________ 을 나타냅니다.

④ **408**

8은 ________ 의 자리 숫자이고, ____________ 을 나타냅니다.

4는 ________ 의 자리 숫자이고, ____________ 을 나타냅니다.

월 일

제한 시간 10분

맞은 개수 / 8개

✎ 수 카드로 네 자리 수를 만들려고 합니다. 물음에 답하세요.

⑤ 수 카드 4장을 한 번씩만 사용하여 만들 수 있는 네 자리 수 중에서 가장 큰 수를 구하세요.

⑥ 수 카드 4장을 한 번씩만 사용하여 만들 수 있는 네 자리 수 중에서 셋째로 작은 수를 구하세요.

✎ 다음 물음에 답하세요.

⑦ 마을에서 다음 달부터 한 달에 100자루씩 쓰레기를 줄이려고 할 때 4달 후에 내놓아야 하는 쓰레기는 2899자루입니다. 마을에서 이번 달에 내놓은 쓰레기는 몇 자루일까요?

⑧ 기현이가 1주일에 1000원씩 5주를 더 모아서 8050원을 만들려고 합니다. 기현이가 지금 가진 돈은 얼마일까요?

3회차

진단평가

다음 물음에 답하세요.

① 흰색 바둑돌이 663개, 검은색 바둑돌이 647개 있습니다. 두 바둑돌 중 더 많은 것은 무슨 색일까요?

____

② 과일 가게에 참외가 125개, 멜론이 127개 있습니다. 참외와 멜론 중 더 적은 것은 무엇일까요?

____

뛰어 센 규칙을 찾아 밑줄 친 곳에 알맞은 수를 써넣으세요.

③ 552 … 562 … 572 … 582 … 592 … 602

__________ 부터 __________ 씩 뛰어 세었습니다.

④ 239 … 238 … 237 … 236 … 235 … 234

__________ 부터 __________ 씩 거꾸로 뛰어 세었습니다.

다음 물음에 답하세요.

⑤ 색종이가 한 상자에 1000장씩 들어 있습니다. 6상자에 들어 있는 색종이는 모두 몇 장일까요?

____

⑥ 1 m는 100 cm와 같습니다. 높이가 20 m인 건물의 높이는 몇 cm와 같을까요?

____

다음 물음에 답하세요.

⑦ 체육실에 탁구공을 한 상자에 10개씩 더 샀더니 탁구공은 2045개에서 2065개가 되었습니다. 탁구공을 몇 상자 더 샀을까요?

____

⑧ 현오는 비상금 8800원을 모았는데 한 달에 1000원씩 써서 4800원이 남았습니다. 현오는 몇 달 동안 비상금을 썼을까요?

____

진단평가

다음 물음에 답하세요.

① 빨강 색종이가 810장, 노랑 색종이가 801장, 파랑 색종이가 825장 있습니다. 둘째로 많은 색종이는 무슨 색깔일까요?

② 빵집에 단팥빵이 181개, 크림빵이 136개, 소라빵이 139개 있습니다. 가장 적은 빵은 무엇일까요?

다음 물음에 답하세요.

③ 상자에 사탕이 603개 담겨 있습니다. 사탕을 1개씩 4번 더 넣으면 상자에 있는 사탕은 몇 개가 될까요?

④ 도서관에 책이 545권 있습니다. 한 사람이 책을 10권씩 5명이 빌려가면 도서관에 남는 책은 몇 권일까요?

월 일
제한 시간 10분
맞은 개수 / 8개

다음 물음에 답하세요.

⑤ 샤프심이 한 통에 100개씩 25통, 낱개로 84개 있습니다. 샤프심은 모두 몇 개일까요?

⑥ 동현이는 캐릭터 필통을 사려고 천 원짜리 7장, 백 원짜리 8개, 십 원짜리 2개를 모았습니다. 동현이가 모은 돈은 모두 얼마일까요?

수 카드로 네 자리 수를 만들려고 합니다. 물음에 답하세요.

⑦ 수 카드 4장을 한 번씩만 사용하여 네 자리 수를 만들려고 합니다. 백의 자리 숫자가 7인 수 중에서 둘째로 작은 수를 구하세요.

⑧ 수 카드 4장을 한 번씩만 사용하여 네 자리 수를 만들려고 합니다. 일의 자리 숫자가 4인 수 중에서 가장 큰 수를 구하세요.

5회차

진단평가

✎ 수 카드로 세 자리 수를 만들려고 합니다. 물음에 답하세요.

① 수 카드 3장을 한 번씩만 사용하여 만들 수 있는 세 자리 수 중에서 가장 작은 수를 구하세요.

② 수 카드 4장 중 3장을 한 번씩만 사용하여 만들 수 있는 세 자리 수 중에서 둘째로 큰 수를 구하세요.

✎ 다음 물음에 답하세요.

③ 아현이가 종이개구리를 하루에 1마리씩 4일 동안 더 접었더니 188마리가 되었습니다. 원래 아현이가 가지고 있던 종이개구리는 몇 마리였을까요?

④ 채소 가게에서 양파를 하루에 100개씩 3일 동안 팔았더니 449개가 남았습니다. 원래 채소 가게에 있던 양파는 몇 개였을까요?

월 일
제한 시간 10분
맞은 개수 / 8개

다음 물음에 답하세요.

⑤ 달빛 마을에는 8670명이 살고, 별빛 마을에는 8607명이 살고 있습니다. 더 적은 사람이 살고 있는 마을은 어디일까요?

____

⑥ 로이의 아빠는 1981년에 태어났고, 엄마는 1979년에 태어났습니다. 아빠와 엄마 중 더 늦게 태어난 사람은 누구일까요?

____

뛰어 센 규칙을 찾아 밑줄 친 곳에 알맞은 수를 써넣으세요.

⑦ 2352 … 2351 … 2350 … 2349 … 2348 … 2347

______________ 부터 ______________ 씩 거꾸로 뛰어 세었습니다.

⑧ 1945 … 2945 … 3945 … 4945 … 5945 … 6945

______________ 부터 ______________ 씩 뛰어 세었습니다.

Memo

하루 10분 서술형/문장제 학습지

씨투엠

수학 독해

B1 네 자리 수

초2~초3

정답

B1

네 자리 수

초2~초3

P 06 ~ 07

1일 몇백

❀ 밑줄 친 곳에 알맞은 수를 써넣으세요.

100 200

백 모형이 2 개이면 200 입니다.

① 백 모형이 4 개이면 400 입니다.

② 백 모형이 3 개이면 300 입니다.

③ 백 모형이 5 개이면 500 입니다.

❀ 다음 물음에 답하세요.

지우개가 한 상자에 100개씩 들어 있습니다. 3상자에 들어 있는 지우개는 모두 몇 개일까요?

100 - 200 - 300

300개

① 바둑돌이 한 통에 100개씩 들어 있습니다. 6통에 들어 있는 바둑돌은 모두 몇 개일까요?

600개

② 미나는 색종이를 100장씩 5묶음 샀습니다. 미나가 산 색종이는 모두 몇 장일까요?

500장

③ 별사탕이 한 봉지에 10개씩 들어 있습니다. 20봉지에 들어 있는 별사탕은 모두 몇 개일까요?

200개

10개씩 10봉지는 100개
20봉지는 200개

④ 우빈이는 종이학을 하루에 10마리씩 80일 동안 접었습니다. 우빈이가 접은 종이학은 모두 몇 마리일까요?

800마리

하루에 10마리씩 10일 동안 100마리
80일 동안 800마리

6 B1-네 자리 수 | 1주: 세 자리 수 7

P 08 ~ 09

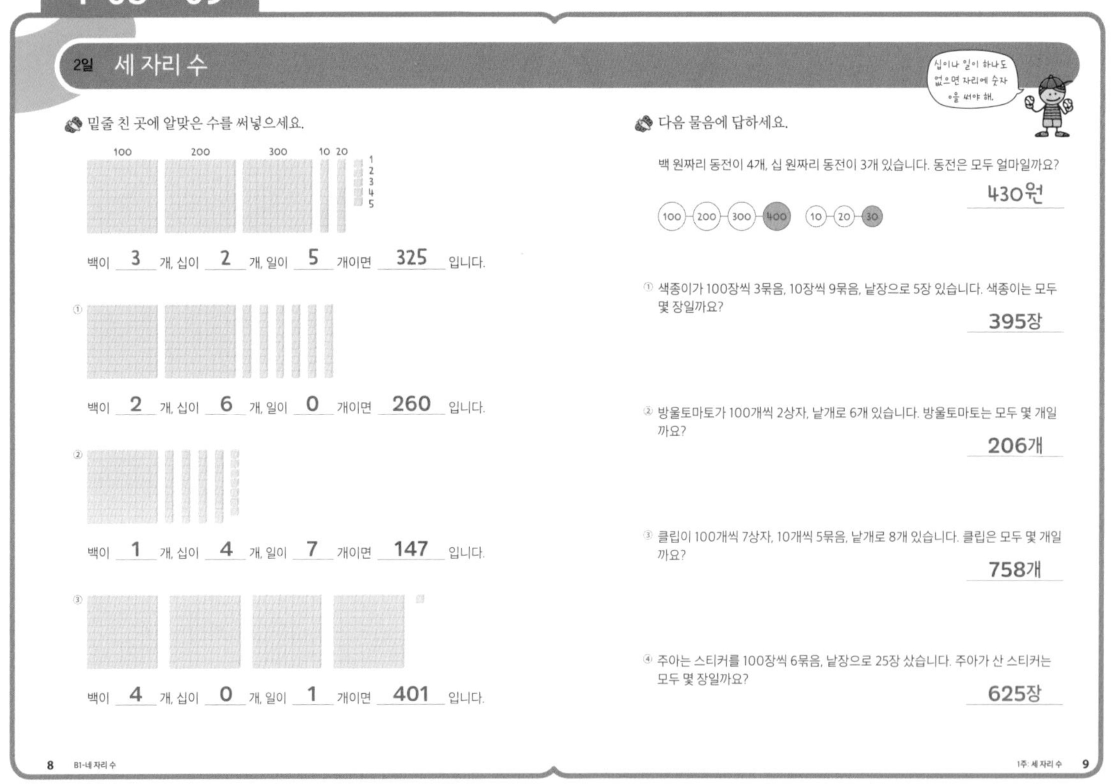

2일 세 자리 수

❀ 밑줄 친 곳에 알맞은 수를 써넣으세요.

100 200 300 10 20 1 2 3 4 5

백이 3 개, 십이 2 개, 일이 5 개이면 325 입니다.

① 백이 2 개, 십이 6 개, 일이 0 개이면 260 입니다.

② 백이 1 개, 십이 4 개, 일이 7 개이면 147 입니다.

③ 백이 4 개, 십이 0 개, 일이 1 개이면 401 입니다.

❀ 다음 물음에 답하세요.

백 원짜리 동전이 4개, 십 원짜리 동전이 3개 있습니다. 동전은 모두 얼마일까요?

100 - 200 - 300 - 400 10 - 20 - 30

430원

① 색종이가 100장씩 3묶음, 10장씩 9묶음, 낱장으로 5장 있습니다. 색종이는 모두 몇 장일까요?

395장

② 방울토마토가 100개씩 2상자, 낱개로 6개 있습니다. 방울토마토는 모두 몇 개일까요?

206개

③ 클립이 100개씩 7상자, 10개씩 5묶음, 낱개로 8개 있습니다. 클립은 모두 몇 개일까요?

758개

④ 주아는 스티커를 100장씩 6묶음, 낱장으로 25장 샀습니다. 주아가 산 스티커는 모두 몇 장일까요?

625장

8 B1-네 자리 수 | 1주: 세 자리 수 9

P 10~11

3일 수의 크기 비교(1)

백의 자리, 십의 자리, 일의 자리 순서로 비교해야 해.

세 자리 수의 크기를 비교해 보세요.

266 < 305 | 266은 305 보다 작습니다.

백의 자리를 비교하면 2와 3이므로 266이 305보다 더 작아요.

① 525 > 520 | 525는 520 보다 큽니다.

백의 자리 5=5, 십의 자리 2=2, 일의 자리 5>0

② 456 < 463 | 456 은 463보다 작습니다.

백의 자리 4=4, 십의 자리 5<6

③ 98 < 101 | 98은 101 보다 작습니다.

백의 자리 0<1

④ 788 > 779 | 788 은 779보다 큽니다.

백의 자리 7=7, 십의 자리 8>7

다음 물음에 답하세요.

토마토가 150개, 딸기가 143개 있습니다. 토마토와 딸기 중 더 많은 것은 무엇일까요?

150 > 143

토마토

① 꽃밭에 장미가 249송이, 튤립이 312송이 있습니다. 장미와 튤립 중 더 많은 것은 무엇일까요?

튤립

백의 자리 2<3
249 < 312

② 주말 농장에서 호준이는 감자를 309개, 호열이는 311개 캤습니다. 감자를 더 적게 캔 사람은 누구일까요?

호준

백의 자리 3=3, 십의 자리 0<1
309 < 311

③ 빨강 색종이가 595장, 분홍 색종이가 597장 있습니다. 더 많은 색종이는 무슨 색일까요?

분홍색

백의 자리 5=5, 십의 자리 9=9, 일의 자리 5<7
595 < 597

④ 예지는 줄넘기를 122번, 민하는 85번 넘었습니다. 줄넘기를 더 적게 넘은 사람은 누구일까요?

민하

백의 자리 1>0
122 > 85

P 12~13

4일 수의 크기 비교(2)

가장 큰 수 다음으로 큰 수를 둘째로 큰 수라고 해.

세 수의 크기를 비교해 보세요.

780 | 802 | 775

가장 큰 수부터 차례로 쓰면 802, 780, 775

세 수 중 가장 큰 수는 802 이고, 가장 작은 수는 775 입니다.

① 566 | 537 | 616

세 수 중 가장 큰 수는 616 이고, 가장 작은 수는 537 입니다.

616 > 566 > 537

② 100 | 121 | 75

세 수 중 가장 큰 수는 121 이고, 가장 작은 수는 75 입니다.

121 > 100 > 75

③ 339 | 343 | 340

세 수 중 가장 큰 수는 343 이고, 가장 작은 수는 339 입니다.

343 > 340 > 339

다음 물음에 답하세요.

자루에 땅콩이 430개, 호두가 282개, 밤이 366개 있습니다. 가장 많은 것은 무엇일까요?

땅콩

430 > 366 > 282
땅콩 > 밤 > 호두

① 저금통에 오백 원짜리 동전이 135개, 백 원짜리 동전이 216개, 십 원짜리 동전이 167개 들어 있습니다. 개수가 가장 적은 동전은 얼마짜리일까요?

오백 원

216 > 167 > 135
백 원 > 십 원 > 오백 원

② 인태는 종이학을 677장 접었고, 기연이는 669장, 마음이는 675장 접었습니다. 종이학을 둘째로 많이 접은 사람은 누구일까요?

마음

677 > 675 > 669
인태 > 마음 > 기연

③ 채소 가게에 당근이 289개, 양파가 308개, 감자가 303개 있습니다. 가장 많은 채소는 무엇일까요?

양파

308 > 303 > 289
양파 > 감자 > 당근

④ 방학 동안 회재는 학습지를 223장, 연우는 218장, 지태는 235장 풀었습니다. 학습지를 가장 적게 푼 사람은 누구일까요?

연우

235 > 223 > 218
지태 > 회재 > 연우

P 14 ~ 15

5일 세 자리 수 만들기

세 자리 수를 만들 때 숫자 0은 백의 자리에 올 수 없어.

❀ 수 카드로 만들 수 있는 세 자리 수를 작은 수부터 순서대로 쓰세요.

[0] [2] [1]

102 — 120 — 201 — 210

2>1>0이므로 가장 큰 세 자리 수는 210

①

[3] [5] [7]

357 — 375 — 537 — 573 — 735 — 753

②

[5] [0] [3]

305 — 350 — 503 — 530

백의 자리에 0이 올 수 없습니다.

③

[1] [8] [6]

168 — 186 — 618 — 681 — 816 — 861

❀ 수 카드로 세 자리 수를 만들려고 합니다. 물음에 답하세요.

수 카드 3장을 한 번씩만 사용하여 만들 수 있는 세 자리 수 중에서 가장 큰 수를 구하세요.

[2] [4] [1] 421

421 > 412 > 241 > 214 > 142 > 124

① 수 카드 3장을 한 번씩만 사용하여 만들 수 있는 세 자리 수 중에서 둘째로 작은 수를 구하세요.

[9] [6] [3] 396

백의 자리부터 가장 작은 숫자를 차례로 놓으면
가장 작은 수: 369, 둘째로 작은 수: 396

② 수 카드 4장 중 3장을 한 번씩만 사용하여 만들 수 있는 세 자리 수 중에서 가장 작은 수를 구하세요.

[5] [3] [0] [6] 305

백의 자리에 0이 올 수 없고 백의 자리부터 가장 작은 숫자를 차례로 놓으면 가장 작은 수: 305

③ 수 카드 4장 중 3장을 한 번씩만 사용하여 만들 수 있는 세 자리 수 중에서 둘째로 큰 수를 구하세요.

[8] [7] [2] [5] 872

백의 자리부터 가장 큰 숫자를 차례로 놓으면
가장 큰 수: 875, 둘째로 큰 수: 872

P 16 ~ 17

확인학습

✎ 다음 물음에 답하세요.

① 단추가 한 상자에 100개 들어 있습니다. 4상자에 들어 있는 단추는 모두 몇 개일까요?

400개

② 백 원짜리 동전 6개와 십 원짜리 동전 30개가 있습니다. 동전은 모두 얼마일까요?

900원

십 원짜리 10개는 100원
30개는 300원

③ 샤프심이 한 통에 100개씩 2개, 낱개로 12개 있습니다. 샤프심은 모두 몇 개일까요?

212개

④ 사과가 한 봉지에 10개씩 55봉지, 낱개로 7개 있습니다. 사과는 모두 몇 개일까요?

557개

10개씩 10봉지는 100개
50봉지는 500개

⑤ 현수는 우표를 100장씩 7묶음, 10장씩 2묶음, 낱장으로 5장 모았습니다. 현수가 모은 우표는 모두 몇 장일까요?

725장

✎ 다음 물음에 답하세요.

⑥ 도서관에 동화책이 439권, 만화책이 375권 있습니다. 동화책과 만화책 중 더 적은 것은 무엇일까요?

만화책

백의 자리 4>3
439 > 375

⑦ 성우는 칭찬 스티커를 248장, 지후는 252장 모았습니다. 칭찬 스티커를 더 많이 모은 사람은 누구일까요?

지후

백의 자리 2=2, 십의 자리 4<5
248 < 252

✎ 다음 물음에 답하세요.

⑧ 연아의 키는 126 cm, 하얀이의 키는 129 cm, 지예의 키는 131 cm입니다. 키가 가장 큰 사람은 누구일까요?

지예

131 > 129 > 126
지예 > 하얀 > 연아

⑨ 과일 가게에 사과가 356개, 복숭아가 364개, 참외가 349개 있습니다. 둘째로 많은 과일은 무엇일까요?

사과

364 > 356 > 349
복숭아 > 사과 > 참외

P 18

확인학습

수 카드로 세 자리 수를 만들려고 합니다. 물음에 답하세요.

⑩ 수 카드 3장을 한 번씩만 사용하여 만들 수 있는 세 자리 수 중에서 둘째로 큰 수를 구하세요.

3 2 4

423

백의 자리부터 가장 큰 숫자를 차례로 놓으면
가장 큰 수: 432, 둘째로 큰 수: 423

⑪ 수 카드 4장 중 3장을 한 번씩만 사용하여 만들 수 있는 세 자리 수 중에서 가장 작은 수를 구하세요.

1 3 0 7

103

백의 자리에 0이 올 수 없고 백의 자리부터 가장 작은 숫자를 차례로 놓으면 가장 작은 수: 103

⑫ 수 카드 3장을 한 번씩만 사용하여 만들 수 있는 세 자리 수 중에서 가장 큰 수를 구하세요.

0 6 8

860

백의 자리부터 가장 큰 숫자를 차례로 놓으면
가장 큰 수: 860

⑬ 수 카드 4장 중 3장을 한 번씩만 사용하여 만들 수 있는 세 자리 수 중에서 둘째로 작은 수를 구하세요.

6 3 5 9

359

백의 자리부터 가장 작은 숫자를 차례로 놓으면
가장 작은 수: 356, 둘째로 작은 수: 359

18 B1-네 자리 수

P 20 ~ 21

1일 세 자리 수의 자릿값

같은 숫자라도 위치에 따라 자릿값이 달라져.

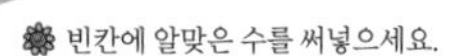

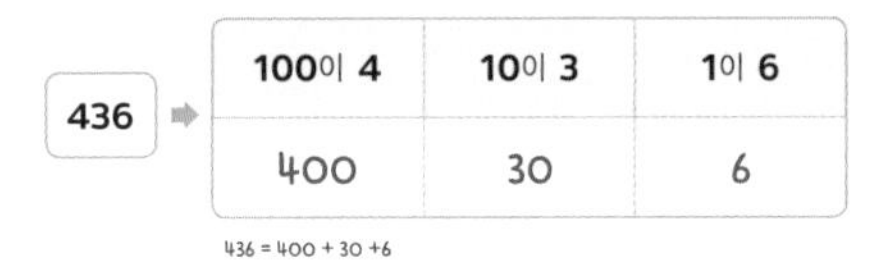

436 ➡

100이 4	10이 3	1이 6
400	30	6

436 = 400 + 30 + 6

① 279 ➡

100이 2	10이 7	1이 9
200	70	9

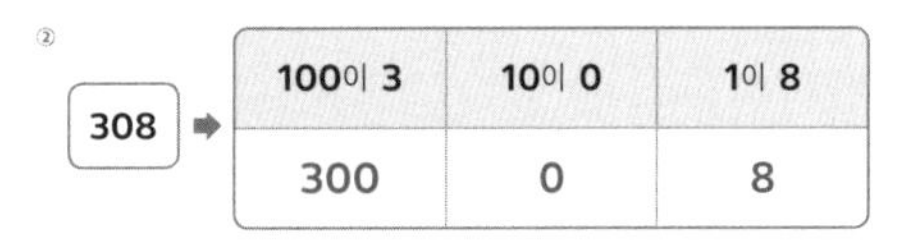

② 308 ➡

100이 3	10이 0	1이 8
300	0	8

③ 751 ➡

100이 7	10이 5	1이 1
700	50	1

밑줄 친 곳에 알맞은 수나 말을 써넣으세요.

912
9는 백 의 자리 숫자이고, 900 을 나타냅니다.
1은 십 의 자리 숫자이고, 10 을 나타냅니다.
2는 일 의 자리 숫자이고, 2 를 나타냅니다.
912 = 900 + 10 + 2

① 142
1은 백 의 자리 숫자이고, 100 을 나타냅니다.
4는 십 의 자리 숫자이고, 40 을 나타냅니다.

② 865
5는 일 의 자리 숫자이고, 5 를 나타냅니다.
8은 백 의 자리 숫자이고, 800 을 나타냅니다.

③ 567
6은 십 의 자리 숫자이고, 60 을 나타냅니다.
5는 백 의 자리 숫자이고, 500 을 나타냅니다.

20 B1-네 자리 수 2주: 뛰어 세기(1) 21

P 22 ~ 23

2일 세 자리 수 뛰어 세기

일정한 수만큼 커지거나 작아지도록 수를 세는 거야.

뛰어 센 규칙을 찾아 밑줄 친 곳에 알맞은 수를 써넣으세요.

124 134 144 154 164 174
124 부터 10 씩 뛰어 세었습니다.

① 300 400 500 600 700 800
300 부터 100 씩 뛰어 세었습니다.

② 275 274 273 272 271 270
275 부터 1 씩 거꾸로 뛰어 세었습니다.

③ 615 605 595 585 575 565
615 부터 10 씩 거꾸로 뛰어 세었습니다.

규칙을 찾아 빈칸에 알맞은 수를 써넣으세요.

530 520 510 500 490 480
530부터 10씩 거꾸로 뛰어 센 규칙

① 108 109 110 111 112 113
108부터 1씩 뛰어 센 규칙

② 777 677 577 477 377 277
777부터 100씩 거꾸로 뛰어 센 규칙

③ 404 403 402 401 400 399
404부터 1씩 거꾸로 뛰어 센 규칙

④ 927 937 947 957 967 977
927부터 10씩 뛰어 센 규칙

22 B1-네 자리 수 2주: 뛰어 세기(1) 23

P 24 ~ 25

3일 뛰어 센 수 구하기

뛰어 센 수를 구하세요.

135 – 235 – 335 – 435 – 535 (100씩)

135부터 100씩 4번 뛰어 센 수는 535 입니다.

① 899 – 889 – 879 – 869

899부터 10씩 거꾸로 3번 뛰어 센 수는 869 입니다.

② 612 – 613 – 614 – 615 – 616 – 617

612부터 1씩 5번 뛰어 센 수는 617 입니다.

③ 756 – 656 – 556 – 456 – 356

756부터 100씩 거꾸로 4번 뛰어 센 수는 356 입니다.

다음 물음에 답하세요.

은행나무에 은행잎이 202장 매달려 있습니다. 은행잎이 하루에 10장씩 3일 동안 떨어진다면 남는 은행잎은 몇 장일까요?

172장

202 – 192 (1일) – 182 (2일) – 172 (3일)

① 은지의 저금통에 돈이 180원 있습니다. 은지가 하루에 100원씩 4일 동안 저금하면 저금통에 있는 돈은 얼마가 될까요?

580원

180 – 280 (1일) – 380 (2일) – 480 (3일) – 580 (4일)

② 주연이가 272쪽짜리 위인전을 읽습니다. 주연이가 1분에 1쪽씩 읽으면 5분 뒤에 남은 위인전은 몇 쪽일까요?

267쪽

272 – 271 (1분) – 270 (2분) – 269 (3분) – 268 (4분) – 267 (5분)

③ 연못에 연꽃이 311송이 피어 있습니다. 연꽃이 하루에 10송이씩 4일 동안 더 핀다면 연못에 있는 연꽃은 몇 송이가 될까요?

351송이

311 – 321 (1일) – 331 (2일) – 341 (3일) – 351 (4일)

P 26 ~ 27

4일 원래 수 구하기

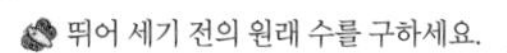

뛰어 세기 전의 원래 수를 구하세요.

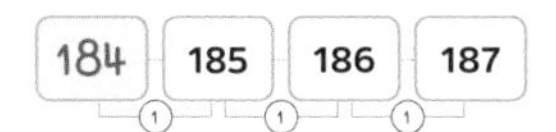

184 – 185 – 186 – 187 (1씩)

184 부터 1씩 3번 뛰어 센 수는 187입니다.

① 835 – 735 – 635 – 535 – 435

835 부터 100씩 거꾸로 4번 뛰어 센 수는 435입니다.

② 970 – 960 – 950 – 940

970 부터 10씩 거꾸로 3번 뛰어 센 수는 940입니다.

③ 202 – 302 – 402 – 502 – 602 – 702

202 부터 100씩 5번 뛰어 센 수는 702입니다.

다음 물음에 답하세요.

감을 100개씩 2상자 더 땄더니 감이 모두 681개가 되었습니다. 원래 있던 감은 몇 개였을까요?

481개

481 – 581 (1상자) – 681 (2상자)

① 벚나무가 한 달에 10 cm씩 5달 동안 자라서 215 cm가 되었습니다. 원래 벚나무의 키는 몇 cm였을까요?

165 cm

165 – 175 (1달) – 185 (2달) – 195 (3달) – 205 (4달) – 215 (5달)

② 건우가 하루에 100원씩 3일 동안 쓰고 남은 돈이 650원입니다. 원래 건우가 가진 돈은 얼마였을까요?

950원

950 – 850 (1일) – 750 (2일) – 650 (3일)

③ 주차장에 자동차가 하루에 1대씩 4일 동안 줄어들어서 328대가 되었습니다. 원래 주차장에 있던 자동차는 몇 대였을까요?

332대

332 – 331 (1일) – 330 (2일) – 329 (3일) – 328 (4일)

P 28 ~ 29

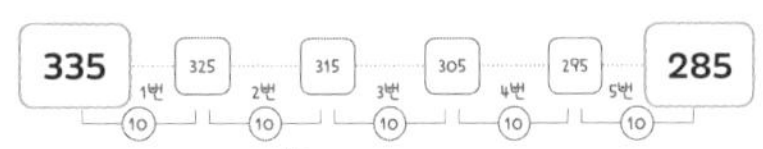

5일 뛰어 센 횟수 구하기

❀ 몇 번 뛰어 세었는지 구하세요.

335 - 325 - 315 - 305 - 295 - 285 (1번, 2번, 3번, 4번, 5번; 10)

335부터 10씩 거꾸로 5 번 뛰어 센 수는 285입니다.

① 406 - 407 - 408 - 409

406부터 1씩 3 번 뛰어 센 수는 409입니다.

② 733 - 633 - 533 - 433 - 333

733부터 100씩 거꾸로 4 번 뛰어 센 수는 333입니다.

③ 277 - 287 - 297 - 307 - 317

277부터 10씩 4 번 뛰어 센 수는 317입니다.

❀ 다음 물음에 답하세요.

꽃밭에 튤립이 110송이 있는데 150송이까지 늘리려고 합니다. 한 번에 10송이씩 몇 번 더 심어야 할까요?

4번

110 - 120 - 130 - 140 - 150 (1번, 2번, 3번, 4번)

① 상자에 사과가 256개 들어 있습니다. 한 사람에게 사과를 10개씩 나누어 주고 226개 남기려면 몇 명에게 나누어 주어야 할까요?

3명

256 - 246 - 236 - 226 (1명, 2명, 3명)

② 소하는 480쪽짜리 소설책을 읽으려고 합니다. 일주일에 100쪽씩 읽어서 280쪽을 남기려면 소설책을 몇 주 동안 읽어야 할까요?

2주

480 - 380 - 280 (1주, 2주)

③ 연꽃이 하루에 1송이씩 더 핍니다. 연꽃이 375송이에서 380송이가 되는 데 며칠이 걸릴까요?

5일

375 - 376 - 377 - 378 - 379 - 380 (1일, 2일, 3일, 4일, 5일)

P 30 ~ 31

확인학습

✎ 밑줄 친 곳에 알맞은 수나 말을 써넣으세요.

① 815
8은 백 의 자리 숫자이고, 800 을 나타냅니다.
5는 일 의 자리 숫자이고, 5 를 나타냅니다.

② 620
2는 십 의 자리 숫자이고, 20 을 나타냅니다.
6은 백 의 자리 숫자이고, 600 을 나타냅니다.

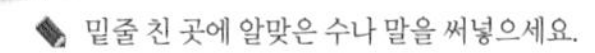

✎ 뛰어 센 규칙을 찾아 밑줄 친 곳에 알맞은 수를 써넣으세요.

③ 750 650 550 450 350 250

750 부터 100 씩 거꾸로 뛰어 세었습니다.

④ 407 417 427 437 447 457

407 부터 10 씩 뛰어 세었습니다.

✎ 다음 물음에 답하세요.

⑤ 과일 가게에 복숭아가 427개 있습니다. 복숭아를 하루에 100개씩 3일 동안 팔면 남는 복숭아는 몇 개일까요?

127개

427 - 327 - 227 - 127 (1일, 2일, 3일)

⑥ 상은이는 우표를 389장 모았습니다. 상은이가 10장씩 5묶음을 더 모으면 우표는 몇 장이 될까요?

439장

389 - 399 - 409 - 419 - 429 - 439 (1묶음, 2묶음, 3묶음, 4묶음, 5묶음)

⑦ 미래가 저금통에 하루에 100원씩 4일 동안 저금했더니 저금통에 있는 돈이 890원이 되었습니다. 저금통에 원래 있던 돈은 얼마였을까요?

490원

490 - 590 - 690 - 790 - 890 (1일, 2일, 3일, 4일)

⑧ 재활용 처리장에 있던 플라스틱 병을 하루에 10병씩 5일 동안 줄였더니 293병이 남았습니다. 원래 있던 플라스틱 병은 몇 병이었을까요?

343병

343 - 333 - 323 - 313 - 303 - 293 (1일, 2일, 3일, 4일, 5일)

P 32

확인학습

다음 물음에 답하세요.

⑨ 경주는 하루에 100원씩 저금통에 저금을 하려고 합니다. 저금통에 있는 돈이 240원에서 540원이 되는 데 며칠이 걸릴까요?

3일

240 - 340 - 440 - 540
1일 2일 3일

⑩ 인형 가게에 곰 인형이 421개 있는데 하루에 10개씩 팔았더니 371개가 남았습니다. 곰 인형을 며칠 동안 팔았을까요?

5일

421 - 411 - 401 - 391 - 381 - 371
1일 2일 3일 4일 5일

⑪ 1달에 10 cm씩 자라는 나무가 있습니다. 이 나무의 키가 346 cm에서 386 cm가 되는 데 몇 달이 걸릴까요?

4달

346 - 356 - 366 - 376 - 386
1달 2달 3달 4달

⑫ 냉장고에 방울토마토가 291개 있었습니다. 방울토마토를 한 번에 1개씩 먹었더니 288개가 남았습니다. 방울토마토를 몇 번 먹었을까요?

3번

291 - 290 - 289 - 288
1번 2번 3번

32 B1-네 자리 수

P 34 ~ 35

1일 몇천

밑줄 친 곳에 알맞은 수를 써넣으세요.

천 2천 3천 4천
1000 1000 1000 1000

1000이 4 개인 수는 4000 입니다.

① 1000 1000 1000

1000이 3 개인 수는 3000 입니다.

② 1000 1000 1000 1000 1000 1000

1000이 6 개인 수는 6000 입니다.

③ 1000 1000 1000 1000 1000

1000이 5 개인 수는 5000 입니다.

다음 물음에 답하세요.

지성이는 한 주에 1000원씩 4주 동안 저금했습니다. 지성이가 저금한 금액은 모두 얼마일까요?

천 - 2천 - 3천 - 4천

4000원

① 구슬이 한 자루에 1000개씩 들어 있습니다. 7자루에 들어 있는 구슬은 모두 몇 개일까요?

7000개

② 1 km는 1000 m와 같습니다. 집에서 학교까지의 거리 9 km는 몇 m와 같을까요?

9000 m

③ 클립이 한 통에 100개씩 들어 있습니다. 20통에 들어 있는 클립은 모두 몇 개일까요?

2000개

100개씩 10통은 1000개
20통은 2000개

④ 사과가 한 상자에 100개씩 들어 있습니다. 80상자에 들어 있는 사과는 모두 몇 개일까요?

8000개

100개씩 10상자는 1000개
80상자는 8000개

34 B1-네 자리 수 / 3주: 네 자리 수 35

P 36 ~ 37

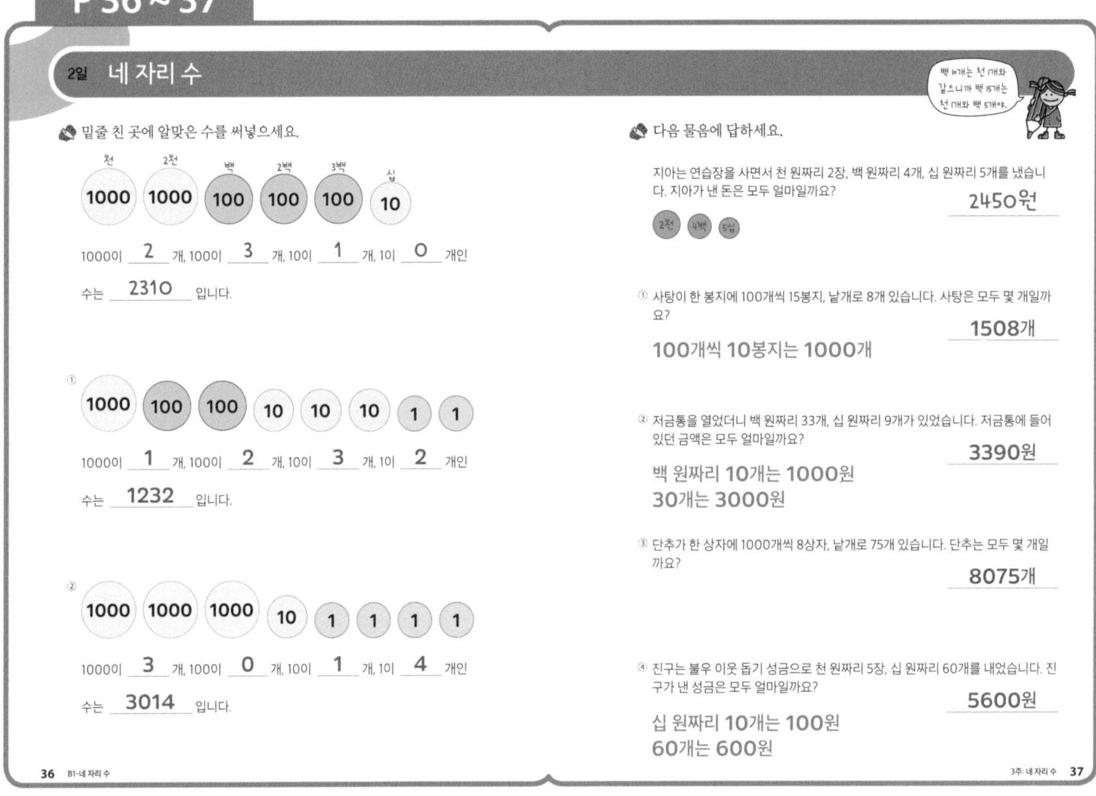

2일 네 자리 수

밑줄 친 곳에 알맞은 수를 써넣으세요.

천 2천 백 2백 3백 십
1000 1000 100 100 100 10

1000이 2 개, 100이 3 개, 10이 1 개, 1이 0 개인 수는 2310 입니다.

① 1000 100 100 10 10 10 1 1

1000이 1 개, 100이 2 개, 10이 3 개, 1이 2 개인 수는 1232 입니다.

② 1000 1000 1000 10 1 1 1 1

1000이 3 개, 100이 0 개, 10이 1 개, 1이 4 개인 수는 3014 입니다.

다음 물음에 답하세요.

지아는 연습장을 사면서 천 원짜리 2장, 백 원짜리 4개, 십 원짜리 5개를 냈습니다. 지아가 낸 돈은 모두 얼마일까요?

2천 4백 5십

2450원

① 사탕이 한 봉지에 100개씩 15봉지, 낱개로 8개 있습니다. 사탕은 모두 몇 개일까요?

1508개

100개씩 10봉지는 1000개

② 저금통을 열었더니 백 원짜리 33개, 십 원짜리 9개가 있었습니다. 저금통에 들어 있던 금액은 모두 얼마일까요?

3390원

백 원짜리 10개는 1000원
30개는 3000원

③ 단추가 한 상자에 1000개씩 8상자, 낱개로 75개 있습니다. 단추는 모두 몇 개일까요?

8075개

④ 진구는 불우 이웃 돕기 성금으로 천 원짜리 5장, 십 원짜리 60개를 내었습니다. 진구가 낸 성금은 모두 얼마일까요?

5600원

십 원짜리 10개는 100원
60개는 600원

36 B1-네 자리 수 / 3주: 네 자리 수 37

P 38 ~ 39

3일 수의 크기 비교(1)

천의 자리, 백의 자리, 십의 자리, 일의 자리 순으로 비교해.

네 자리 수의 크기를 비교해 보세요.

	천의 자리	백의 자리	십의 자리	일의 자리
5425	5	4	2	5
5386	5	3	8	6

5425는 5386 보다 큽니다.

천의 자리는 같고 백의 자리는 4>3이므로 5425가 더 커요.

①

	천의 자리	백의 자리	십의 자리	일의 자리
7630	7	6	3	0
7628	7	6	2	8

7630은 7628 보다 큽니다.

천의 자리 7=7, 백의 자리 6=6, 십의 자리 3>2

②

	천의 자리	백의 자리	십의 자리	일의 자리
1294	1	2	9	4
1295	1	2	9	5

1294는 1295 보다 작습니다.

천의 자리 1=1, 백의 자리 2=2, 십의 자리 9=9, 일의 자리 4<5

다음 물음에 답하세요.

트럭에 사과 2851개, 토마토 2868개가 실려 있습니다. 사과와 토마토 중 더 많은 것은 무엇일까요? 토마토

천의 자리 2=2, 백의 자리 8=8, 십의 자리 5<6

① 미주는 색종이를 5500장, 지웅이는 4980장 가지고 있습니다. 색종이를 더 적게 가지고 있는 사람은 누구일까요? 지웅

천의 자리 5>4
5500 > 4980

② 헌곤이의 집 앞에는 6845번 버스와 6844번 버스가 지나갑니다. 두 버스 중 번호가 더 큰 버스는 몇 번 버스일까요? 6845번

천의 자리 6=6, 백의 자리 8=8, 십의 자리 4=4, 일의 자리 5>4
6845 > 6844

③ 항아리에 강낭콩이 1673개, 완두콩이 1736개 들어 있습니다. 강낭콩과 완두콩 중 더 적은 것은 무엇일까요? 강낭콩

천의 자리 1=1, 백의 자리 6<7
1673 < 1736

④ 놀이 공원에서 해민이는 3674번, 자욱이는 3647번 대기 번호표를 받았습니다. 둘 중 나중에 들어가는 사람은 누구일까요? 해민

천의 자리 3=3, 백의 자리 6=6, 십의 자리 7>4
3674 > 3647

P 40 ~ 41

4일 수의 크기 비교(2)

가장 큰 수를 묻는지 가장 작은 수를 묻는지 잘 따져야 해.

밑줄 친 곳에 알맞은 수를 써넣으세요.

6012 6102 5963 — 6012 < 6102, 6102 > 5963, 6012 > 5963

큰 수부터 차례대로 수를 쓰면 6102, 6012, 5963 입니다.

① 1847 2014 1938

큰 수부터 차례대로 수를 쓰면 2014, 1938, 1847 입니다.

2014 > 1938 > 1847

② 9875 9873 9789

작은 수부터 차례대로 수를 쓰면 9789, 9873, 9875 입니다.

9875 > 9873 > 9789

③ 4334 3443 4093

작은 수부터 차례대로 수를 쓰면 3443, 4093, 4334 입니다.

4334 > 4093 > 3443

다음 물음에 답하세요.

양계장에서 달걀이 월요일에 2749개, 화요일에 2430개, 수요일에 3066개가 나왔습니다. 달걀이 가장 적게 나온 날은 무슨 요일일까요? 화요일

2430 < 2749 < 3066

① 장우는 3007번, 3000번, 3300번 버스 중 번호가 가장 큰 버스를 타야 합니다. 장우가 타야 하는 버스는 몇 번일까요? 3300번

3300 > 3007 > 3000
3300번 > 3007번 > 3000번

② 도서관에서 책을 1월에는 4560권, 2월에는 5277권, 3월에는 4795권 빌렸습니다. 세 달 중 둘째로 책을 많이 빌린 달은 몇 월일까요? 3월

5277 > 4795 > 4560
2월 > 3월 > 1월

③ 1단지 아파트에 6255명이 살고, 2단지에 6528명, 3단지에 6227명이 살고 있습니다. 세 단지 중 가장 많은 사람이 사는 곳은 어디일까요? 2단지

6528 > 6255 > 6227
2단지 > 1단지 > 3단지

④ 엄마는 1984년, 외삼촌은 1976년, 이모는 1980년에 태어났습니다. 세 사람 중 가장 먼저 태어난 사람은 누구일까요? 외삼촌

1984 > 1980 > 1976
엄마 > 이모 > 외삼촌

P 42 ~ 43

5일 네 자리 수 만들기

가장 큰 수를 만들려면 제일 큰 수 카드를 천의 자리에 놓아.

❀ 수 카드를 한 번씩만 사용하여 네 자리 수를 만들어 보세요.

1 2 3 7

① 천의 자리가 7인 네 자리 수를 큰 것부터 순서대로 써 보세요.

7321 7312 7231 7213 7132 7123

② 천의 자리가 3인 네 자리 수를 큰 것부터 순서대로 써 보세요.

3721 3712 3271 3217 3172 3127

③ 천의 자리가 2인 네 자리 수를 큰 것부터 순서대로 써 보세요.

2731 2713 2371 2317 2173 2137

④ 천의 자리가 1인 네 자리 수를 큰 것부터 순서대로 써 보세요.

1732 1723 1372 1327 1273 1237

❀ 수 카드로 네 자리 수를 만들려고 합니다. 물음에 답하세요.

수 카드 4장을 한 번씩만 사용하여 만들 수 있는 네 자리 수 중에서 가장 작은 수를 구하세요.

3 4 0 5 — 3045

3045 < 3054 < 3405 < 3450 < 3504 < 3540

① 수 카드 4장을 한 번씩만 사용하여 만들 수 있는 네 자리 수 중에서 가장 큰 수를 구하세요.

2 7 4 3 — 7432

천의 자리부터 가장 큰 숫자를 차례로 놓으면
가장 큰 수: 7432

② 수 카드 4장을 한 번씩만 사용하여 만들 수 있는 네 자리 수 중에서 둘째로 큰 수를 구하세요.

8 9 1 6 — 9816

천의 자리부터 가장 큰 숫자를 차례로 놓으면
가장 큰 수: 9861, 둘째로 큰 수: 9816

③ 수 카드 4장을 한 번씩만 사용하여 만들 수 있는 네 자리 수 중에서 둘째로 작은 수를 구하세요.

0 4 8 1 — 1084

천의 자리에 0이 올 수 없고 천의 자리부터 가장 작은 숫자를 차례로 놓으면 가장 작은 수: 1048, 둘째로 작은 수: 1084

P 44 ~ 45

확인학습

다음 물음에 답하세요.

① 예은이는 한 통화에 1000원을 기부하는 전화를 5번 했습니다. 예은이가 기부한 금액은 모두 얼마일까요?

5000원

② 도토리묵 한 모를 만드는 데 도토리 100개가 필요합니다. 도토리묵 30모를 만드는 데 필요한 도토리는 모두 몇 개일까요?

3000개

한 모에 100개씩 10모를 만드는 데 1000개
30모를 만드는 데 3000개

③ 산딸기가 한 팩에 100개씩 60팩, 낱개로 5개 있습니다. 산딸기는 모두 몇 개일까요?

6005개

100개씩 10팩은 1000개
60팩은 6000개

④ 보아는 마트에서 과자를 사면서 천 원짜리 3장, 백 원짜리 8개, 십 원짜리 4개를 냈습니다. 보아가 산 과자는 얼마일까요?

3840원

⑤ 무게 1 kg은 1000 g과 같습니다. 무게가 4 kg 330 g인 멜론의 무게는 몇 g과 같습니까?

4330 g

다음 물음에 답하세요.

⑥ 전화번호 끝 자리가 아빠는 2325번, 엄마는 2258번입니다. 아빠와 엄마 중 전화번호 끝 자리가 더 작은 사람은 누구일까요?

엄마

천의 자리 2=2, 백의 자리 3>2
2325 > 2258

⑦ 수산 시장에 고등어가 4089마리, 갈치가 3984마리 있습니다. 고등어와 갈치 중 더 많은 것은 무엇일까요?

고등어

천의 자리 4>3
4089 > 3984

다음 물음에 답하세요.

⑧ 마을에 초등학생이 985명, 중학생이 1071명, 고등학생이 1123명 있습니다. 초등학생, 중학생, 고등학생 중 가장 적은 것은 무엇일까요?

초등학생

1123 > 1071 > 985
고등학생 > 중학생 > 초등학생

⑨ 햄버거 가게에서 수현이는 7014번, 오혁이는 7019번, 상기는 7008번 대기표를 받았습니다. 햄버거를 둘째로 늦게 먹는 사람은 누구일까요?

수현

7019 > 7014 > 7008
오혁 > 수현 > 상기

P 46

확인학습

수 카드로 네 자리 수를 만들려고 합니다. 물음에 답하세요.

⑩ 수 카드 4장을 한 번씩만 사용하여 만들 수 있는 네 자리 수 중에서 둘째로 큰 수를 구하세요.

1 5 2 4 — 5412

천의 자리부터 가장 큰 숫자를 차례로 놓으면
가장 큰 수: 5421, 둘째로 큰 수: 5412

⑪ 수 카드 4장을 한 번씩만 사용하여 만들 수 있는 네 자리 수 중에서 가장 작은 수를 구하세요.

3 6 8 0 — 3068

천의 자리에 0이 올 수 없고 천의 자리부터 가장 작은 숫자를 차례로 놓으면 가장 작은 수: 3068

⑫ 수 카드 4장을 한 번씩만 사용하여 만들 수 있는 네 자리 수 중에서 둘째로 작은 수를 구하세요.

7 1 4 9 — 1497

천의 자리부터 가장 작은 숫자를 차례로 놓으면
가장 작은 수: 1479, 둘째로 작은 수: 1497

⑬ 수 카드 4장을 한 번씩만 사용하여 만들 수 있는 네 자리 수 중에서 셋째로 큰 수를 구하세요.

0 5 3 1 — 5130

천의 자리부터 가장 큰 숫자를 차례로 놓으면
가장 큰 수: 5310, 둘째로 큰 수: 5301, 셋째로 큰 수: 5130

46 B1-네 자리 수

P 48 ~ 49

1일 네 자리 수의 자릿값

네 자리 수 7777에서 각 7이 나타내는 수는 모두 달라.

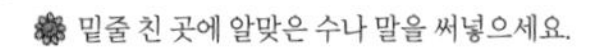

밑줄 친 곳에 알맞은 수나 말을 써넣으세요.

4138

4는 천 의 자리 숫자이고, 4000 을 나타냅니다.
1은 백 의 자리 숫자이고, 100 을 나타냅니다.
3은 십 의 자리 숫자이고, 30 을 나타냅니다.
8은 일 의 자리 숫자이고, 8 을 나타냅니다.

4138 = 4000 + 100 + 30 + 8

① 7095

9는 십 의 자리 숫자이고, 90 을 나타냅니다.
7은 천 의 자리 숫자이고, 7000 을 나타냅니다.
5는 일 의 자리 숫자이고, 5 를 나타냅니다.

② 2683

3은 일 의 자리 숫자이고, 3 을 나타냅니다.
6은 백 의 자리 숫자이고, 600 을 나타냅니다.
2는 천 의 자리 숫자이고, 2000 을 나타냅니다.

수 카드로 네 자리 수를 만들려고 합니다. 물음에 답하세요.

수 카드 4장을 한 번씩만 사용하여 네 자리 수를 만들려고 합니다. 백의 자리 숫자가 3인 수 중에서 가장 작은 수를 구하세요.

6 3 2 1 — 1326

백의 자리가 3인 네 자리 수 □3□□ 중 가장 작은 수는 1326

① 수 카드 4장을 한 번씩만 사용하여 네 자리 수를 만들려고 합니다. 천의 자리 숫자가 1인 수 중에서 가장 큰 수를 구하세요.

7 0 1 5 — 1750

천의 자리가 1인 네 자리 수 1□□□ 중
가장 큰 수는 1750

② 수 카드 4장을 한 번씩만 사용하여 네 자리 수를 만들려고 합니다. 일의 자리 숫자가 6인 수 중에서 가장 작은 수를 구하세요.

2 9 6 3 — 2396

일의 자리가 6인 네 자리 수 □□□6 중
가장 작은 수는 2396

③ 수 카드 4장을 한 번씩만 사용하여 네 자리 수를 만들려고 합니다. 십의 자리 숫자가 0인 수 중에서 둘째로 큰 수를 구하세요.

8 4 2 0 — 8204

십의 자리가 0인 네 자리 수 □□0□ 중
가장 큰 수는 8402, 둘째로 큰 수는 8204

48 B1-네 자리 수 / 4주: 뛰어 세기(2) 49

P 50 ~ 51

2일 네 자리 수 뛰어 세기

100씩 거꾸로 뛰어 세면 백의 자리 숫자가 1씩 작아져.

뛰어 센 규칙을 찾아 밑줄 친 곳에 알맞은 수를 써넣으세요.

1019	2019	3019	4019	5019	6019

천 천 천 천 천

1019 부터 1000 씩 뛰어 세었습니다.

①

3541	3641	3741	3841	3941	4041

3541 부터 100 씩 뛰어 세었습니다.

②

5602	5592	5582	5572	5562	5552

5602 부터 10 씩 거꾸로 뛰어 세었습니다.

③

9878	8878	7878	6878	5878	4878

9878 부터 1000 씩 거꾸로 뛰어 세었습니다.

규칙을 찾아 빈칸에 알맞은 수를 써넣으세요.

4880	4780	4680	4580	4480	4380

4880부터 100씩 거꾸로 뛰어 센 규칙

①

1371	1372	1373	1374	1375	1376

1371부터 1씩 뛰어 센 규칙

②

8500	7500	6500	5500	4500	3500

8500부터 1000씩 거꾸로 뛰어 센 규칙

③

6997	7007	7017	7027	7037	7047

4997부터 10씩 뛰어 센 규칙

④

5035	5135	5235	5335	5435	5535

5035부터 100씩 뛰어 센 규칙

50 B1-네 자리 수 / 4주: 뛰어 세기(2) 51

P 52 ~ 53

3일 뛰어 센 수 구하기

뛰어 센 수를 구하세요.

8912부터 10씩 2번 뛰어 센 수는 8932 입니다.

① 2067 | 1967 | 1867 | 1767

2067부터 100씩 거꾸로 3번 뛰어 센 수는 1767 입니다.

② 3734 | 3724 | 3714 | 3704 | 3694 | 3684

3734부터 10씩 거꾸로 5번 뛰어 센 수는 3684 입니다.

③ 4512 | 5512 | 6512 | 7512 | 8512

4512부터 1000씩 4번 뛰어 센 수는 8512 입니다.

다음 물음에 답하세요.

기연이는 2510원을 가지고 있습니다. 하루에 100원씩 3일 동안 모으면 기연이가 가진 돈은 얼마가 될까요?

2810원

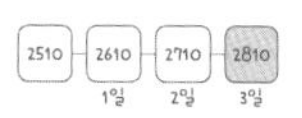

① 무지개 마을에 4327명이 살고 있습니다. 한 달에 10명씩 3달 동안 사람이 줄어들면 무지개 마을에 살고 있는 사람은 몇 명이 될까요?

4297명

4327 | 4317 | 4307 | 4297
1달 2달 3달

② 강인이네 학교에서 빈 병 3521병을 모았습니다. 1000병씩 5번 더 모으면 모은 빈 병은 모두 몇 병이 될까요?

8521병

3521 | 4521 | 5521 | 6521 | 7521 | 8521
1번 2번 3번 4번 5번

③ 과수원에 귤이 6219개 열려 있습니다. 귤을 100개씩 4번 따면 과수원에 남는 귤은 몇 개가 될까요?

5819개

6219 | 6119 | 6019 | 5919 | 5819
1번 2번 3번 4번

P 54 ~ 55

4일 원래 수 구하기

거꾸로 뛰어 세기 전의 원래 수는 바르게 뛰어 세어 구하지.

뛰어 세기 전의 원래 수를 구하세요.

7880 | 7780 | 7680 | 7580 | 7480
백 백 백 백

7880 부터 100씩 거꾸로 4번 뛰어 센 수는 7480입니다.

① 5588 | 5598 | 5608 | 5618

5588 부터 10씩 3번 뛰어 센 수는 5618입니다.

② 1789 | 1790 | 1791

1789 부터 1씩 2번 뛰어 센 수는 1791입니다.

③ 9329 | 8329 | 7329 | 6329 | 5329 | 4329

9329 부터 1000씩 거꾸로 5번 뛰어 센 수는 4329입니다.

다음 물음에 답하세요.

수목원에 나무를 100그루씩 3번 더 심었더니 3762그루가 되었습니다. 원래 수목원에 있던 나무는 몇 그루였을까요?

3462그루

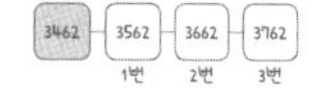

① 찬호네 반에서 칭찬 스티커를 하루에 10장씩 4일 동안 더 모았더니 1088장이 되었습니다. 원래 모았던 칭찬 스티커는 몇 장이었을까요?

1048장

1048 | 1058 | 1068 | 1078 | 1088
1일 2일 3일 4일

② 저금통에서 천 원짜리 2장을 꺼냈더니 저금통에 남아 있는 돈이 6300원이 되었습니다. 원래 저금통에 있던 돈은 얼마였을까요?

8300원

8300 | 7300 | 6300
1장 2장

③ 1주일에 10 cm씩 5주 동안 자랐더니 나무의 키가 2308 cm가 되었습니다. 원래 나무의 키는 몇 cm였을까요?

2258 cm

2258 | 2268 | 2278 | 2288 | 2298 | 2308
1주 2주 3주 4주 5주

P 56 ~ 57

5일 뛰어 센 횟수 구하기

처음 수에서 나중 수까지 몇 번 뛰어 세었는지 세어 봐.

❀ 몇 번 뛰어 세었는지 구하세요.

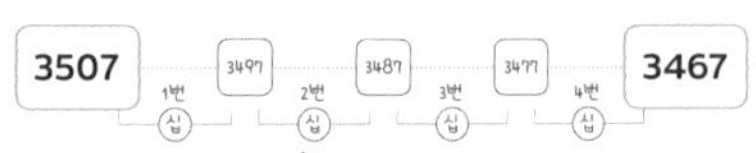

3507부터 10씩 거꾸로 4 번 뛰어 센 수는 3467입니다.

① 6800 6801 6802 6803 6804

6800부터 1씩 4 번 뛰어 센 수는 6804입니다.

② 2099 1999 1899 1799 1699 1599

2099부터 100씩 거꾸로 5 번 뛰어 센 수는 1599입니다.

③ 4579 5579 6579 7579

4579부터 1000씩 3 번 뛰어 센 수는 7579입니다.

❀ 다음 물음에 답하세요.

수산물 창고에 굴비가 1580상자 있었는데 한 번에 1000상자씩 더 넣었더니 굴비는 5580상자가 되었습니다. 창고에 굴비를 몇 번 더 넣었을까요?

4번

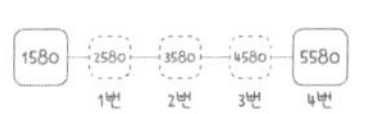

④ 과수원에 사과가 7852개 열려 있습니다. 사과를 한 상자에 100개씩 따서 담으면 과수원에 사과가 7652개 남습니다. 따서 담은 사과는 몇 상자일까요?

2상자

7852 7752 7652 (1상자, 2상자)

⑤ 태웅이는 1450원을 가지고 있는데 하루에 100원씩 모아서 1950원을 만들려고 합니다. 태웅이는 돈을 며칠 더 모아야 할까요?

5일

1450 1550 1650 1750 1850 1950 (1일, 2일, 3일, 4일, 5일)

⑥ 주차장에 있는 자동차가 하루에 10대씩 줄어듭니다. 자동차가 2425대에서 2385대가 되는 데 며칠이 걸릴까요?

4일

2425 2415 2405 2395 2385 (1일, 2일, 3일, 4일)

56 B1-네 자리 수 / 4주: 뛰어 세기(2) 57

P 58 ~ 59

확인학습

✎ 수 카드로 네 자리 수를 만들려고 합니다. 물음에 답하세요.

① 수 카드 4장을 한 번씩만 사용하여 네 자리 수를 만들려고 합니다. 천의 자리 숫자가 3인 수 중에서 가장 큰 수를 구하세요.

9 4 3 8

3984

천의 자리가 3인 네 자리 수 3□□□ 중 가장 큰 수는 3984

② 수 카드 4장을 한 번씩만 사용하여 네 자리 수를 만들려고 합니다. 십의 자리 숫자가 0인 수 중에서 가장 작은 수를 구하세요.

4 1 2 0

1204

십의 자리가 0인 네 자리 수 □□0□ 중 가장 작은 수는 1204

✎ 뛰어 센 규칙을 찾아 밑줄 친 곳에 알맞은 수를 써넣으세요.

③ 9167 9067 8967 8867 8767 8667

9167 부터 100 씩 거꾸로 뛰어 세었습니다.

④ 4090 4100 4110 4120 4130 4140

4090 부터 10 씩 뛰어 세었습니다.

✎ 다음 물음에 답하세요.

⑤ 창주는 7490원을 가지고 있습니다. 일주일에 1000원씩 2주 동안 쓰고 나면 남는 돈은 얼마가 될까요?

5490원

7490 6490 5490 (1주, 2주)

⑥ 호수에 개구리가 1217마리 살고 있습니다. 한 번에 100마리씩 4번 개구리를 호수에 더 풀어놓으면 호수에 있는 개구리는 몇 마리가 될까요?

1617마리

1217 1317 1417 1517 1617 (1번, 2번, 3번, 4번)

⑦ 광수는 돈을 하루에 1000원씩 4일 동안 써서 4870원이 남았습니다. 원래 광수가 가진 돈은 얼마였을까요?

8870원

8870 7870 6870 5870 4870 (1일, 2일, 3일, 4일)

⑧ 집에서 학교까지 1분에 100 m씩 3분 동안 걸었더니 남은 거리는 1985 m였습니다. 집에서 학교까지의 거리는 몇 m일까요?

2285 m

2285 2185 2085 1985 (1분, 2분, 3분)

58 B1-네 자리 수 / 4주: 뛰어 세기(2) 59

P 60

확인학습

다음 물음에 답하세요.

⑨ 미예는 7500원을 가지고 있었는데 한 번에 1000원씩 기부해서 4500원이 남았습니다. 미예는 몇 번 기부했을까요?

3번

7500 - 6500 - 5500 - 4500
1번 2번 3번

⑩ 학교 도서관에 책이 3780권 있었는데 한 번에 책을 10권씩 더 샀더니 3830권이 되었습니다. 책을 몇 번 더 샀을까요?

5번

3780 - 3790 - 3800 - 3810 - 3820 - 3830
1번 2번 3번 4번 5번

⑪ 마트에 옥수수가 4192개 있었는데 하루에 100개씩 팔았더니 3792개가 남았습니다. 옥수수를 며칠 동안 팔았을까요?

4일

4192 - 4092 - 3992 - 3892 - 3792
1일 2일 3일 4일

⑫ 저금통에 백 원짜리 몇 개를 더 넣었더니 저금통에 있는 금액이 8320원에서 8620원이 되었습니다. 저금통에 넣은 백 원짜리는 몇 개일까요?

3개

8320 - 8420 - 8520 - 8620
1개 2개 3개

60 B1-네 자리 수

P 62 ~ 63

1회차 진단평가

월 일 / 제한 시간 10분 / 맞은 개수 / 8개

다음 물음에 답하세요.

① 곶감이 한 상자에 10개씩 들어 있습니다. 60상자에 들어 있는 곶감은 모두 몇 개일까요?

600개

10개씩 10상자는 100개
60상자는 600개

② 백 원짜리 동전 2개와 십 원짜리 동전 30개가 있습니다. 동전은 모두 얼마일까요?

500원

십 원짜리 10개는 100원
30개는 300원

다음 물음에 답하세요.

③ 우진이는 우표를 678장 가지고 있었는데 한 달에 100장씩 더 모아서 978장이 되었습니다. 우표를 몇 달 더 모았을까요?

3달

678 - 778 (1달) - 878 (2달) - 978 (3달)

④ 과수원에 사과가 892개 있었습니다. 사과를 한 봉지에 10개씩 담아서 팔았더니 842개가 남았습니다. 사과를 몇 봉지 담아서 팔았을까요?

5봉지

892 - 882 (1봉지) - 872 (2봉지) - 862 (3봉지) - 852 (4봉지) - 842 (5봉지)

다음 물음에 답하세요.

⑤ 월드컵은 2002년, 올림픽은 1988년, 아시안게임은 2014년에 열렸습니다. 세 대회 중 둘째로 먼저 열린 대회는 무엇일까요?

월드컵

2014 > 2002 > 1988
아시안게임 > 월드컵 > 올림픽

⑥ 곡물 창고에 쌀이 5208 kg, 밀이 4382 kg, 보리가 3995 kg 있습니다. 세 곡물 중 가장 많은 것은 무엇일까요?

쌀

5208 > 4382 > 3995
쌀 > 밀 > 보리

다음 물음에 답하세요.

⑦ 시골 마을에서 올해 쌀을 5401 kg 수확했습니다. 앞으로 1년마다 쌀을 100 kg씩 덜 수확하려고 할 때 3년 뒤에는 몇 kg을 수확하게 될까요?

5101 kg

5401 - 5301 (1년) - 5201 (2년) - 5101 (3년)

⑧ 저금통에 돈이 2970원 있습니다. 십 원짜리 동전 5개를 더 넣으면 저금통에 있는 돈은 얼마가 될까요?

3020원

2970 - 2980 (1개) - 2990 (2개) - 3000 (3개) - 3010 (4개) - 3020 (5개)

P 64 ~ 65

2회차 진단평가

월 일 / 제한 시간 10분 / 맞은 개수 / 8개

다음 물음에 답하세요.

① 공책이 100권씩 3상자, 10권씩 4상자, 낱개로 1권 있습니다. 공책은 모두 몇 권일까요?

341권

② 딸기가 한 상자에 100개씩 8상자, 낱개로 8개 있습니다. 딸기는 모두 몇 개일까요?

808개

밑줄 친 곳에 알맞은 수나 말을 써넣으세요.

③ 732

3은 __십__ 의 자리 숫자이고, __30__ 을 나타냅니다.

7은 __백__ 의 자리 숫자이고, __700__ 을 나타냅니다.

④ 408

8은 __일__ 의 자리 숫자이고, __8__ 을 나타냅니다.

4는 __백__ 의 자리 숫자이고, __400__ 을 나타냅니다.

수 카드로 네 자리 수를 만들려고 합니다. 물음에 답하세요.

⑤ 수 카드 4장을 한 번씩만 사용하여 만들 수 있는 네 자리 수 중에서 가장 큰 수를 구하세요.

2 6 3 8

8632

천의 자리부터 가장 큰 숫자를 차례로 놓으면
가장 큰 수: 8632

⑥ 수 카드 4장을 한 번씩만 사용하여 만들 수 있는 네 자리 수 중에서 셋째로 작은 수를 구하세요.

1 9 2 5

1529

천의 자리부터 가장 작은 숫자를 차례로 놓으면
가장 작은 수: 1259, 둘째로 작은 수: 1295, 셋째로 작은 수: 1529

다음 물음에 답하세요.

⑦ 마을에서 다음 달부터 한 달에 100자루씩 쓰레기를 줄이려고 할 때 4달 후에 내놓아야 하는 쓰레기는 2899자루입니다. 마을에서 이번 달에 내놓은 쓰레기는 몇 자루일까요?

3299자루

3299 - 3199 (1달) - 3099 (2달) - 2999 (3달) - 2899 (4달)

⑧ 기현이가 1주일에 1000원씩 5주를 더 모아서 8050원을 만들려고 합니다. 기현이가 지금 가진 돈은 얼마일까요?

3050원

3050 - 4050 (1주) - 5050 (2주) - 6050 (3주) - 7050 (4주) - 8050 (5주)

P 66 ~ 67

3회차 진단평가

제한 시간 10분 맞은 개수 / 8개

다음 물음에 답하세요.

① 흰색 바둑돌이 663개, 검은색 바둑돌이 647개 있습니다. 두 바둑돌 중 더 많은 것은 무슨 색일까요?

흰색

백의 자리 6=6, 십의 자리 6>4
663 > 647

② 과일 가게에 참외가 125개, 멜론이 127개 있습니다. 참외와 멜론 중 더 적은 것은 무엇일까요?

참외

백의 자리 1=1, 십의 자리 2=2, 일의 자리 5<7
125 < 127

뛰어 센 규칙을 찾아 밑줄 친 곳에 알맞은 수를 써넣으세요.

③ 552 - 562 - 572 - 582 - 592 - 602

552 부터 10 씩 뛰어 세었습니다.

④ 239 - 238 - 237 - 236 - 235 - 234

239 부터 1 씩 거꾸로 뛰어 세었습니다.

다음 물음에 답하세요.

⑤ 색종이가 한 상자에 1000장씩 들어 있습니다. 6상자에 들어 있는 색종이는 모두 몇 장일까요?

6000장

⑥ 1 m는 100 cm와 같습니다. 높이가 20 m인 건물의 높이는 몇 cm와 같을까요?

2000cm

10 m는 1000 cm
20 m는 2000 cm

다음 물음에 답하세요.

⑦ 체육실에 탁구공을 한 상자에 10개씩 더 샀더니 탁구공은 2045개에서 2065개가 되었습니다. 탁구공을 몇 상자 더 샀을까요?

2상자

2045 - 2055 (1상자) - 2065 (2상자)

⑧ 현오는 비상금 8800원을 모았는데 한 달에 1000원씩 써서 4800원이 남았습니다. 현오는 몇 달 동안 비상금을 썼을까요?

4달

8800 - 7800 (1달) - 6800 (2달) - 5800 (3달) - 4800 (4달)

P 68 ~ 69

4회차 진단평가

제한 시간 10분 맞은 개수 / 8개

다음 물음에 답하세요.

① 빨강 색종이가 810장, 노랑 색종이가 801장, 파랑 색종이가 825장 있습니다. 둘째로 많은 색종이는 무슨 색깔일까요?

빨강

825 > 810 > 801
파랑 > 빨강 > 노랑

② 빵집에 단팥빵이 181개, 크림빵이 136개, 소라빵이 139개 있습니다. 가장 적은 빵은 무엇일까요?

크림빵

181 > 139 > 136
단팥빵 > 소라빵 > 크림빵

다음 물음에 답하세요.

③ 상자에 사탕이 603개 담겨 있습니다. 사탕을 1개씩 4번 더 넣으면 상자에 있는 사탕은 몇 개가 될까요?

607개

603 - 604 (1번) - 605 (2번) - 606 (3번) - 607 (4번)

④ 도서관에 책이 545권 있습니다. 한 사람이 책을 10권씩 5명이 빌려가면 도서관에 남는 책은 몇 권일까요?

495권

545 - 535 (1명) - 525 (2명) - 515 (3명) - 505 (4명) - 495 (5명)

다음 물음에 답하세요.

⑤ 샤프심이 한 통에 100개씩 25통, 낱개로 84개 있습니다. 샤프심은 모두 몇 개일까요?

2584개

100개씩 10통은 1000개
20통은 2000개

⑥ 동현이는 캐릭터 필통을 사려고 천 원짜리 7장, 백 원짜리 8개, 십 원짜리 2개를 모았습니다. 동현이가 모은 돈은 모두 얼마일까요?

7820원

수 카드로 네 자리 수를 만들려고 합니다. 물음에 답하세요.

⑦ 수 카드 4장을 한 번씩만 사용하여 네 자리 수를 만들려고 합니다. 백의 자리 숫자가 7인 수 중에서 둘째로 작은 수를 구하세요.

8 7 5 2

2785

백의 자리가 7인 네 자리 수 □7□□ 중
가장 작은 수는 2758, 둘째로 작은 수는 2785

⑧ 수 카드 4장을 한 번씩만 사용하여 네 자리 수를 만들려고 합니다. 일의 자리 숫자가 4인 수 중에서 가장 큰 수를 구하세요.

6 1 7 4

7614

일의 자리가 4인 네 자리 수 □□□4 중
가장 큰 수는 7614

P 70 ~ 71

5회차 진단평가

월 일
제한 시간 10분
맞은 개수 /8개

✎ 수 카드로 세 자리 수를 만들려고 합니다. 물음에 답하세요.

① 수 카드 3장을 한 번씩만 사용하여 만들 수 있는 세 자리 수 중에서 가장 작은 수를 구하세요.

5 4 1

145

백의 자리부터 가장 작은 숫자를 차례로 놓으면
가장 작은 수: 145

② 수 카드 4장 중 3장을 한 번씩만 사용하여 만들 수 있는 세 자리 수 중에서 둘째로 큰 수를 구하세요.

3 8 7 4

873

백의 자리부터 가장 큰 숫자를 차례로 놓으면
가장 큰 수: 874, 둘째로 큰 수: 873

✎ 다음 물음에 답하세요.

③ 아현이가 종이개구리를 하루에 1마리씩 4일 동안 더 접었더니 188마리가 되었습니다. 원래 아현이가 가지고 있던 종이개구리는 몇 마리였을까요?

184마리

184	185	186	187	188
	1일	2일	3일	4일

④ 채소 가게에서 양파를 하루에 100개씩 3일 동안 팔았더니 449개가 남았습니다. 원래 채소 가게에 있던 양파는 몇 개였을까요?

749개

749	649	549	449
	1일	2일	3일

70 B1-네 자리 수

✎ 다음 물음에 답하세요.

⑤ 달빛 마을에는 8670명이 살고, 별빛 마을에는 8607명이 살고 있습니다. 더 적은 사람이 살고 있는 마을은 어디일까요?

별빛 마을

천의 자리 8=8, 백의 자리 6=6, 십의 자리 7>0
8670 > 8607

⑥ 로이의 아빠는 1981년에 태어났고, 엄마는 1979년에 태어났습니다. 아빠와 엄마 중 더 늦게 태어난 사람은 누구일까요?

아빠

천의 자리 1=1, 백의 자리 9=9, 십의 자리 8>7
1981 > 1979

✎ 뛰어 센 규칙을 찾아 밑줄 친 곳에 알맞은 수를 써넣으세요.

⑦ 2352 2351 2350 2349 2348 2347

2352 부터 1 씩 거꾸로 뛰어 세었습니다.

⑧ 1945 2945 3945 4945 5945 6945

1945 부터 1000 씩 뛰어 세었습니다.

진단평가 71

“

The essence of mathematics is its freedom.

”

"수학의 본질은 그 자유로움에 있다."

Georg Cantor, 게오르크 칸토어